マネー・カースト

世界経済がもたらす「新・貧富の階級社会」

最新版

Money Caste

米経済誌『フォーブス』元アジア太平洋支局長
ベンジャミン・フルフォード

かや書房

はじめに

『マネーカースト』

この本のタイトルを見て、皆さんはどう思われただろうか？

「社会に貧富の差があるのは仕方がない。日本には身分や階級はなく、機会は平等に与えられている。資本主義は自由競争。お金持ちになりたかったら、がんばって仕事で成功すればいいだけのこと。どちらかといえば個人的な問題だろう」

自分には関係ないと感じた方もいるかもしれない。または、

「テレビで、日本の景気が回復に向かっていると言っていた。株価も上がっていると聞くし、そのうち会社の給料も上がるのでは……」

メディアの報道から、好景気の恩恵を期待しているかもしれない。

だが、本当に貧富の差は自己責任の問題なのだろうか。景気拡大によって富の再配分がなされるのだろうか。あなたの生活は楽になっていくのだろうか。

もう一度、よく考えてほしい。

毎朝ラッシュアワーの電車で職場に行き、夕方以降はサービス残業。月収は常に最低生活費ギリギリで、月々、貯金するだけのお金は残らない。いつまでも親と一緒の実家暮らしか、狭

いワンルーム住まい。正社員採用の道は閉ざされており、いつになっても派遣・契約社員のまま。結婚できたとしても、先々への不安から、子どもを持つ気にはなれない。

今の日本で、このような生活を送っている人々は少なくない。今後さらに増えていくだろう。果たしてこんな生活が、本当に「仕方がない現実」なのであろうか。

アメリカ市場株価および日経平均株価は、近年まれに見る上昇を示している。政府やマスコミも「株価が高値を記録！　好景気だ！」などと喧伝している。だが、この数字上の好景気によって、あなたは生活水準が上がったと実感できただろうか。実際には賃金は一向に上がらず、物価や税金は上がる一方。結局、何の恩恵も受けていないのではないだろうか。

断言してもいい。このまま手をこまねいていても、あなたの生活は、未来永劫、絶対に豊かにならない。なぜなら現代は「マネーカースト」で経済的に階級化された不平等社会だからだ。ヒンズー教のカースト制は、四つの階級に分かれており、ピラミッド型の構造になっている。だが、マネーカーストは、富める者と貧しい者という二つの階級のみ。比率も1％の超富裕層対99％の貧困層となっている。史上類を見ないほどの階級格差が生まれているのだ。

世界の富を独占する1％の超富裕層は、残り99％を貧民として見ている。莫大な資産を持つ彼らにとって、一般市民の貧富の差など微々たるものにすぎないのだ。

そう、世界経済は、新たなる貧富の階級社会を生み出しているのである。

国際NGO「オックスファム」は22日、世界で1年間に生み出された富（保有資産の増加分）のうち82％を、世界で最も豊かな上位1％が独占し、経済的に恵まれない下から半分（37億人）は財産が増えなかったとする報告書を発表した。資産の偏在が格差拡大を招いているとして、世界の指導者に対策を呼びかけた。

（「朝日新聞デジタル」　2018年1月22日付）

この記事からわかるように、世界の富は、富裕層の中でも、より上部へと集められつつあるのだ。

7ページのグラフは、1980年（右下がりの線）と2014年（右上がりの線）の、アメリカ人所得の伸び率を対比したものである。上下の軸が伸び率、左右の軸が所得の多少を表している（右側に行くほど、高所得者）。

1980年の時点では、高所得者より低所得者の方が所得の伸び率を大きく上昇させていた。しかし、2014年には完全にそれが逆転している。そして、特筆すべきは、2014年の右端での急激な上昇カーブ、これはつまり、ごく一部の富裕層が、圧倒的なスピードで富の独占を加速させていることを表している。

アメリカではビル・ゲイツ（マイクロソフト創始者）、ジェフ・ベゾス（アマゾンCE

０）、ウォーレン・バフェット（投資家）のたった３人が、アメリカの人口の半分、つまりは１億６０００万人分の資産の合計よりも多くの富を持っているという異常な状況が生まれている。経済的な「超」格差をもたらすマネーカーストが現実のものとなっているのだ。

この圧倒的な格差を象徴するのが、現在のアメリカで急増している「借金奴隷」である。実際に数多くのアメリカ国民が、住宅ローンや学生ローンなどの借金の焦げ付きで逮捕されて、民間刑務所に収容されている。ＮＧＯ団体「アメリカ自由人権協会」のレポートによると、アメリカ国内で推定７７００万人の借金が民間機関に回収業務（取り立て）を移管されたという。さらに、たった28ドル（約３０００円）の借金を理由に債務者が逮捕された事例を報じている。取り立て屋たちは債務者を問答無用で民間刑務所にぶち込み、馬車馬のように働かせるのである。

債務者の投獄は州法および連邦法により禁じられており、これは明らかな違法行為である。しかし、アメリカではこのような「借金奴隷地獄」が現実にまかり通っているのだ。

この絶望的な現実を目にしてもまだ、「それはアメリカの話であって、日本は大丈夫なのでは」という楽観主義を捨てられない方もいるかもしれない。確かに、現在の状況を見る限り、日本に比べてアメリカの方が深刻な格差に陥っている。

だが、散々言い尽くされてきたことだが、経済や社会の状況など、アメリカで起こったこと

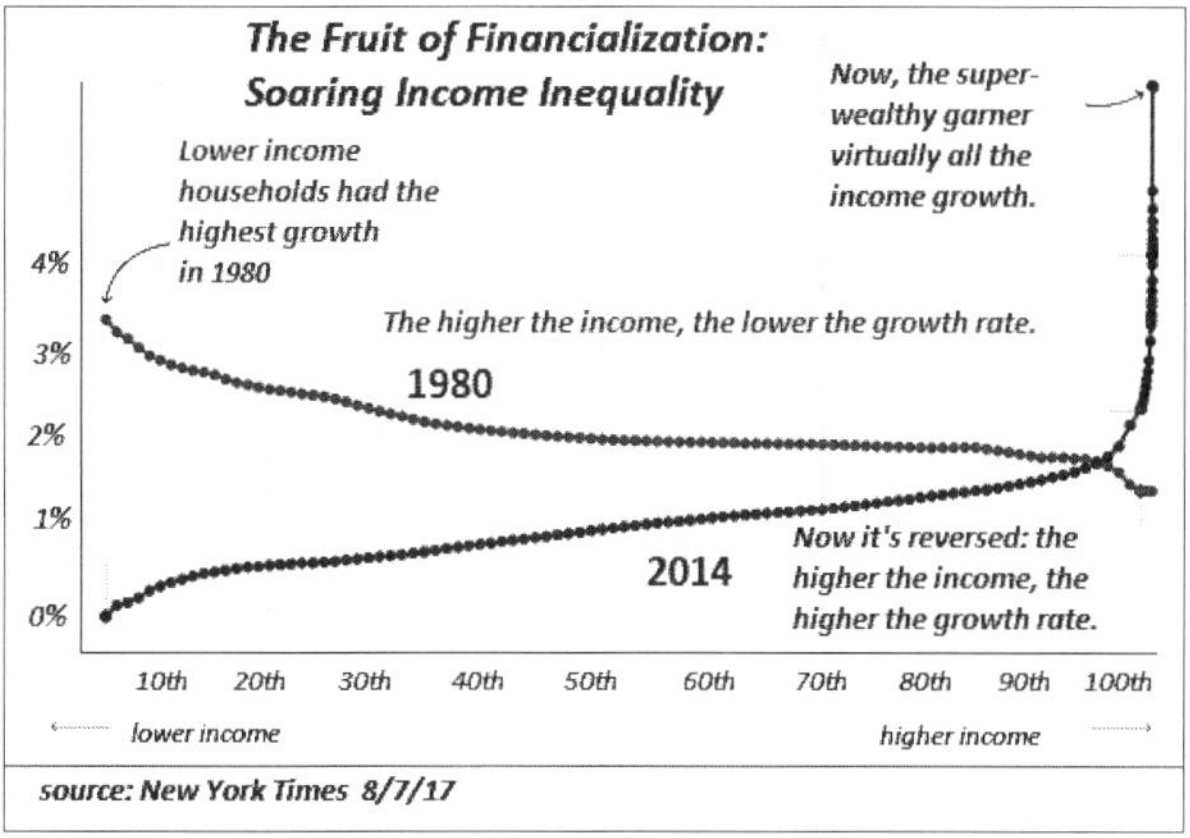

圧倒的な所得格差が証明する
アメリカの「マネーカースト」の実態

アメリカ人の所得を1980年と2014年で比較したグラフ。上下の軸が所得の伸び率。左右の軸は左側が低所得者（貧困層）、右側に行くほど高所得者（富裕層）。10th～100thは人口における割合で、10人に1人～100人に1人を表す。1980年では低所得者の方が高所得者より高い伸び率を示していた。しかし2014年にはそれが逆転。しかも、ごく一部の高所得者だけが所得を上昇させている。アメリカでは特権階級が富を独占し、経済格差が極端に拡大する「マネーカースト」が急速に進行しているのだ。

は10年後に日本でも起きる。今から数年後に、借金まみれの日本人たちがどんどんと刑務所に収容され、強制労働をさせられる……そんな現実がやってこないとは限らないのだ。

なぜ、このような史上最悪の経済格差が生まれ、広がりつつあるのか。

答えは簡単である。

富を独占する人間たちが、そうなるように「仕組んでいる」から、である。

1%の富裕層——さらにその1%を支配しているわずか700人の人間が、世界をそのように導いているからだ。

700人といえば、全世界の人口の0・0000001%である。このたった700人で構成された寡頭勢力が絶対的な権力と暴力を持ち、独裁的な経済システムを作り上げ、壮大なぺテンにかけることよって、世界中の富を吸い上げ、独占し、管理しているのである。

この支配の壁は、あまりに強固で高いものであった。しかし、今、その壁が崩れ始めている。

700人の寡頭勢力が分裂したことで地盤が揺らいでいるのだ。

結果、彼らの息のかかっていないアメリカ大統領ドナルド・トランプが生まれた。

アメリカだけでなく、世界金融を牛耳っていたロンドン・シティも、宗教を通してこの世界に大きな影響を持っているバチカンも、大きな変動期を迎えている。

さらには、世界経済の覇権は、アメリカ(ドル)から中国(人民元)へと移行しようとしている。

世界は大きな転換期に差し掛かっているのだ。

日本経済の未来も、あなたやあなたの家族の生活も、世界の大変動の影響下にある。

明日を生き延びるためには、目をしっかりと見開いて、世界の現状の向こう側にある「真実」を見つめなくてはならない。

マネー・カースト
世界経済がもたらす「新・貧富の階級社会」
最新版

CONTENTS

【第7章】ナチス派の巨頭「ブッシュ一族」と「クリントン一族」……213

——アメリカの闇で暗躍した血族の悪行

マネーカースト

世界経済がもたらす「新・貧富の階級社会」

最新版

第1章

東京オリンピックで「令和恐慌」が勃発！

東京五輪と消費増税で日本経済は崩壊

本書は2018年に刊行した著書『マネーカースト』に、新たに現代社会の現実を深部から暴くべく、最新章を加筆したものである。

本の表題としたマネーカースト（経済格差階級）は、この数年でさらに深刻化している。深刻化しているというのは、貧富の二極化や格差社会が広がっているというだけではない。その事実がどんどんと覆い隠されて、見えにくくなっているということである。世界は経済的に階級化されて、知らぬ間にますます不平等になっているのだ。このマネーカーストの実態に対して、改めて警鐘を鳴らすために、本書を新装した次第である。

東京オリンピックで日本人の資産が収奪される

現在、世界の人口70億人中、わずか700人で構成された「寡頭勢力」がマネーカーストの最上位に君臨している。その詳細は章を改めて述べるが、欧米の超富裕層で構成された彼らは、世界の大企業や中央銀行を支配・管理し、その上で各国の政治家を賄賂漬けにし、大手マスコミを傘下に加え、大衆世論も操作してきた。そうやって世界を牛耳り、その富を吸い上げてきたのだ。

これまで日本人は、寡頭勢力によって気が遠くなるほどのカネをむしり取られてきたが、2020年にその節目となる巨額の「集金イベント」が開催される。言わずと知れた「東京オリンピック」である。

2020年といえば、寡頭勢力が日本人の資産2000兆円を収奪する計画の最終ラインに設定してきた年である(これについても後の章で詳述するが、郵政民営化やアベノミクスといった政策もその一環である)。東京オリンピックとは、寡頭勢力が資産収奪の総仕上げと、そのフィナーレとして日本で開催されるように仕組んだイベントなのだ。

いままでも私は再三にわたって「オリンピックは寡頭勢力の集金イベントである」と主張してきた。しかし、その事実に気づいている日本人は決して多いとはいえない。それもある意味仕方がない話である。日本の支配層と大手マスコミは東京での開催が決定した2013年以降、絶え間なく「オリンピック＝希望の象徴」とのプロパガンダを行い、日本人がその実態に気がつかないように情報操作を続けているからだ。

かつてローマ帝国は、民衆に「パン（食糧）とサーカス（見世物）」を与えて政治に関して無関心にさせ、統治を容易にしてきた。そして現代、オリンピックという見世物を与えられた日本人が浮かれ騒いでいるうちに、日本の資産は骨の髄まで搾り取られようとしているのだ。

オリンピックによる経済効果は嘘ばかり

オリンピックといえば、開催に伴う経済効果が繰り返し喧伝される。開催が決まって以降、東京都はその経済効果について猛烈にアピールをしてきた。

> 2020年東京五輪・パラリンピックで、東京都は6日、大会開催の経済波及効果が大会10年後の平成42年（2030年）までの17年間に、全国で約32兆円に上るとの試算を発表した。施設整備費や大会運営費などの「直接的効果」に加え、大会を契機としたバリアフリー対策などの「レガシー効果」から算定。約194万人の雇用創出につながるとしている。
>
> （「産経ニュース」2017年3月6日付）

しかし、この東京都の出した32兆円もの経済効果の試算は、かなりの眉唾ものである。ほとんどの方は記憶にないだろうが、実は東京都が東京オリンピックの経済効果を試算するのは初めてではない。2012年、オリンピック大会の招致を行っている時点で一度試算を発表しているのだ。

東京2020オリンピック・パラリンピック招致委員会では、開催に伴う経済波及効果試算を発表しました。来年2013年から開催年に当たる2020年までを対象としており、経済波及効果は全国で約3兆円。これに伴う雇用の誘発は、約15万人と試算されています。
（公益財団法人東京オリンピック・パラリンピック競技大会組織委員会HPより　2012年6月8日付）

招致段階だったことで気が緩み、ポロリと出してしまった「本当の数字」といったところだろうか。しかし、開催が決定されるや、金額を大きく見せるために経済効果を試算する期間も8年間から17年間に延長し、その額も3兆円から32兆円へと、なんと10倍もアップさせたのである。

ほんの5年前に出した試算に対して、あまりに節操のない大幅な引き上げだが、いったいどのような数字のマジックを使ったのだろうか？

その答えは、前掲の2017年のニュースにも出てきた「レガシー効果」である（何かをごまかすときに聞き慣れない横文字を使うというのは、今も昔も変わらない日本の当局やマスコミの常套手段である……)。

レガシー効果とは、オリンピック終了後に生じるレガシー(遺産)による経済効果といったものである。

しかし、このレガシー効果、東京都が発表しているその内訳を見てみると、何とも「こじつけ感」たっぷりのシロモノである。

まず、「交通インフラの整備」といった物理的な遺産が挙げられているが、高速道路や新幹線といった前回の東京オリンピックほどの大々的なインフラ整備は行われない以上、その後の日本の経済成長にどれほど貢献するか疑問の残るところだ。

さらに、このインフラの項目には「水素社会の実現」などという、かなり無理矢理な例も挙げられている。

「水素社会」とは、化石燃料などの代わりに水素をエネルギー源とする社会のことで、政府や東京都が推進している政策だ。オリンピックでは、移動手段としての燃料電池バスの活用や、選手村での燃料電池コージェネレーション(燃料電池による発電システム)の導入を図るという。しかし、水素社会が定着するには、水素ステーションの不足や水素爆発などの安全性の問題など、まだまだ多くの課題が横たわっている。つまり、実現もしてないインフラをレガシーと言い張って、経済効果に換算しているのだ。ほとんど詐欺に近い話である。

次に挙げられるのは「スポーツならびに障害者スポーツの振興」といった文化的な遺産だ。

東京オリンピックは地域社会におけるスポーツ熱を加速させると期待されている。しかし、開催を間近に控えた現在ですら、五輪を機にスポーツを始める、といった世間の盛り上がりはほとんど感じられない。実際オリンピックに触発されて、スポーツジムに通い始める人が何人いるというのだろう？　スポーツ人口やスポーツ関連の支出（スポーツ用品の購入など）が増加するという主張には到底、無理がある。

さらには、「ボランティア活動者の増加」といった項目も挙げられている。ボランティアが盛んになること自体は多いに結構だが、それがどのように、どれほどの経済効果を生み出すというのだろうか？　無償の奉仕活動が経済効果に換算される根拠が不明である。

「経済の活性化・最先端技術の活用」という項目も何かと疑わしい。その中心となるのは「観光需要の拡大」、いわゆるインバウンド（外国人観光客）だが、近年のオリンピックにおける統計を見ると、確かに大会招致決定後の数年間は開催国への外国人観光客が増える。しかし、開催年には、外国人観光客が前年より減少しているのだ。これは、外国人が大会期間中の混雑や厳しい警備を嫌って開催国への訪問を避けるためだと思われる。

つまり、オリンピックによるインバウンドは、右肩上がりに増加して長期的な経済効果をもたらす、というよりは、カンフル剤のような短期的な経済効果しかない。統計的にいえばインバウンドの増加は開催を待たずして2019年には終了してしまうのだ。

大会終了後、施設は金食い虫のゴミと化す

オリンピックの経済効果に対しては、多くの経済学者が疑問を呈している。

インディアナ州立大の経済学者ジェフリー・G・オーウェンは、「スタジアム建設などの建設費は、他のプロジェクトから物的および人的資源を奪っているにすぎず、経済効果に算入できない」「オリンピック用に作られた施設は、他への転用がしにくい」「オリンピックで生じた利益は、特定の分野（建築業界や代理店など）に流れるので、国の経済の底上げにはならない。その分を失業保険や減税に当てた方が経済効果は高い」といったように、オリンピックの経済効果に懐疑的である。

スミス大学の経済学教授ロバート・A・ウッズ（アンドリュー・ジンバリスト名義で『オリンピック経済幻想論』を執筆）も、「オリンピックの開催による経済効果はそれほど期待できない」さらに「（巨大スポーツイベントの開催は）格差の構造を強化する」と指摘している。「行

政の借入資金の返済が低所得者のための施策を退け、残されたインフラは高所得者の消費に利用される」と批判しているのだ。

オリンピック施設の他への転用の難しさは、大会終了後、施設に使い道がなくなり、「ゴミ」と化している惨状が証明している。

2008年開催の北京五輪会場の惨状を白日の下にさらしたのは、ロイター通信社のカメラマン、ディビッド・グレー氏。鉄柵によって取り囲まれて、ほとんど使用されていないまま壁が崩れ落ちているバレーボール会場の体育館や、草ぼうぼうで、いまや野良犬の遊び場になってしまった野球会場、水がまったく乾いたままで放置されているカヤック会場、もはや塀すら取り壊されたままで残骸をさらしているカヌー競技場などの現状が明らかになったのだ。

奇抜な設計で話題になったメインスタジアムの「鳥の巣」競技場や競泳会場の「水立方」は五輪後ほとんど使われておらず、全くの廃墟となり、五輪会場周辺はまさにゴーストタウンと化してしまったかと見間違うばかりだ。（中略）「鳥の巣」競技場は建設に4億7100万ドル（約337億円）がかかっており、この費用を払い終わるまで30年かかる上、9万1000席ある鳥の巣の昨年の維持費は100万ドル（約8000万円）だったと報じた。

（「NEWSポストセブン」2012年8月5日付）

その他、バルセロナオリンピックのスタジアムや複合施設、ソチオリンピックの選手村、リオオリンピックの水泳競技場など、廃墟やゴーストタウンと化したオリンピックの施設は枚挙に暇《いとま》がない。

オリンピックの施設が金食い虫のゴミと化しているのは、外国だけの話ではない。

1998年の長野オリンピックで開催都市となった長野市は、オリンピック施設建設のためにできた負債を2018年まで払い続けた。しかも、返済に20年もかかった借金で建設した施設は、莫大な維持管理費がかかるオマケ付きである。

長野市は五輪のためスケート会場など6施設を新設し、計約1180億円を拠出。97年度の市債残高は過去最高の約1900億円に達したが、五輪後は景気が低迷。6施設の近年の利用料などの収入は1億円に満たず、市は毎年、施設の維持管理費に約10億円を支出し続けている。開催から約20年を経た来年度に建設費返済は終わりそうだが、維持管理費の負担は施設を解体しない限り永久に続く。中でも深刻なのはボブスレーとリュージュが行われた「スパイラル」だ。総事業費は約100億円。コースを冷やす電気代などで年2億円支出しているが、競技人口が全国で約150人しかおらず、収入は年700万円だという。

（「AERA dot」 2016年10月13日付）

アテネオリンピックのスタジアム

北京オリンピックのビーチバレー会場

ソチオリンピックのオリンピック村

リオオリンピックの水泳競技場

オリンピックの大会終了後に廃墟と化す施設

オリンピックの大会終了後、施設が利用されず、廃墟のようになった例は多い。急ピッチで作るあまり、終了後の運営方法を検討せず、採算は度外視した結果だ。例えば、ビーチバレーといった競技人口の少ない種目の施設を建設しても、終了後は需要が少ないために収益が上がらず、莫大な維持管理費が発生。結局、開催都市や国の財政難などから施設が放置され、廃墟と化してしまう。東京オリンピックでも大会終了後は、新国立競技場などが莫大な維持管理費のかかる「負のレガシー」になる。

これを「負のレガシー（遺産）」と呼ぶならば、まさに適切なネーミングであろう。

東京オリンピックにおいても負のレガシーが生まれようとしている。

東京都は水泳会場となる「東京アクティクスセンター」をはじめ、六つの新施設を整備する。その整備費は総額で約１３７５億円。大会後もレガシーとして活用するとの触れ込みだが、維持管理の負担が重くのしかかる。大会後に採算が合うのは１施設のみで、残り5施設は年間計約11億円の赤字となる見通しだ。また１５６９億円もの整備費をつぎ込んだ新国立競技場も年間24億円の維持費がかかり、その結果、十数億円の赤字が予想されている。

オリンピックは、経済効果やレガシーなどカネにまつわるウソにまみれている。

２０１３年、招致に立候補した際に発表された大会組織委員会の予算額は３０１３億円であった。「コンパクト五輪」を掲げて、「世界一カネのかからないオリンピック」を目指すと吹聴した。

しかしその後、予算額は上昇の一途をたどり、２０１７年に組織委員会が発表した総経費は1兆８０００億円。さらに２０１８年、東京都が新たに大会関連経費として８１００億円を計上する。そして、同年、会計監査院が国の支出した経費が８０００億円に及んだと発表……。ついに当初の10倍、総経費3兆円が視野に入るようになった。世界一カネがかからないどころか、ソチ、北京に次いで3番目に巨額な予算額となった。

東京五輪最大の「負のレガシー」
新国立競技場は年間十数億円の赤字！

東京オリンピックのメインスタジアムとなる新国立競技場。整備費は、当初の見込みが 1000 億円、最大で 3000 億円となり、最終的には 1569 億円となった。近年のメインスタジアムの整備費は、北京が約 500 億円、ロンドンが約 600 億円、リオが約 440 億円で、断トツで高額となった。さらに年間 24 億円の維持管理費が発生。旧国立競技場でも年間 3 億円の赤字を計上しており、新国立競技場では年十数億円の赤字も予想されている。

たった6年で10倍である。当初、少な目に見積もった金額を提示して、後から次々に予算を追加していく。これは確信犯的な詐欺の手口である。そして、国民からの非難をかわさんと、経済効果も算出方法を細工してどんどんと金額をアップさせていく。そんな子供だましで暴騰する予算をごまかそうとしているのだ。

五輪バブルが弾けて「令和恐慌」が勃発！

さて、とても経済効果に期待は持てない東京オリンピックだが、「それなら楽しんだ分だけ得したと思えばいい」と思われる読者の方もいるかもしれない。しかし、骨折り損のくたびれ儲け程度の話ならよいが、オリンピックは不況を引き寄せる、いや現在の日本の状況でいえば、不況を加速させる原因となる可能性が高い。いわゆる「五輪ロス」である。

近年では2016年のリオオリンピックを契機に深刻な財政難に陥ったブラジルが記憶に新しい。ギリシャもまた、2004年のアテネオリンピック後に大きく景気が減速して、その後の深刻な経済危機へとつながっていった。だが、他国の例を挙げずとも、日本も過去に深刻な五輪ロスを経験している。

１９６４年の東京オリンピック（以下、旧・東京オリンピック）である。旧・東京オリンピック後に日本経済が陥った不況について、大手マスコミはほとんど触れようとしない。旧・東京オリンピックが招いた不況とは、いったいどのようなものだったのだろうか。

１９６０年代、高度経済成長期にあった日本は、オリンピック開催に向けた各種インフラ整備などで建築業界を中心にさらなる好景気に沸いていた。

当時のＧＮＰ（国民総生産）の成長率を見ると、１９６０年＝名目19・９％／実質14・１％、１９６１年＝名目23・４％／実質15・６％、１９６２年＝名目10・８％／実質６・４％、１９６３年＝名目15・４％／実質10・６％、１９６４年＝名目17・９％／実質13・３％、と著しい経済成長を遂げている。

しかし、開催の次年１９６５年となると、名目10・２％／実質４・４％と成長は急ストップ、いわゆる「昭和40年不況（五輪反動不況）」に陥ったのである。発端は、大規模なインフラ整備といったオリンピック特需がなくなったことだった。

成長率は鈍化したといっても、まだプラス圏内であり、高度経済成長期の谷間の一つと解釈することもできる。しかし、この昭和40年不況は現在の日本経済にも大きな傷を残していく。

全国の倒産企業数は、開幕前年度が１７３８社であったのに対して、開催年は４２１２社、さらに翌年には6141社へと急増。倒産したのは中小企業や零細企業だけではない。山陽特殊鋼が500億円という戦後最大級の負債を抱え倒産したのをはじめ、サンウェーブ、日本特殊鋼といった大企業も続々と倒産したのである。

さらに急激な日本経済の失速は証券市場にも影響を及ぼし、当時の4大証券会社の一つ、山一證券が事実上の倒産といえる再建計画を発表する。山一證券の本支店に連日1万人を越える顧客が押し掛けて取り付け騒ぎに発展し、わずか1週間で口座解約は177億円分に達したという。

その後、経済の失速は税収の悪化を招き、公務員の人件費や社会保障費の支払いまでも脅かす状態となった。これを受けて日本政府は、戦後初めての特例国債を発行した。このような赤字国債は財政法で禁じられていたのを強行突破したのである。そしてこれが、現在では常態化している赤字国債の発端となったのだ。

1964年の東京オリンピック後の不況を振り返ると、印象としては高度経済成長の流れの中に紛れ込み、イメージとしてはつかみにくい。しかし、逆に言えば、高度経済成長のさなかでもこれほどの不況を生み出したのである。

現在、不況であえぐ日本の状況の上に五輪ロスがやってきたらどうなるか……。五輪バブルが弾けて、不況どころか「令和恐慌」が勃発するかもしれない。日本経済が崩壊する確率は決して低いとはいえないのだ。

五輪マネーを支配する国際オリンピック委員会

日本人をだますようにして膨れ上がったオリンピックの開催費用3兆円は、いったいどこへ消えていくのだろうか？　流れる先は、寡頭勢力の息のかかった大企業や金融機関などだが、その橋渡しをする組織がある。オリンピックマネーの采配をほぼ一手に握るＩＯＣ（国際オリンピック委員会）である。

ＩＯＣの名誉委員には寡頭勢力の重鎮ロックフェラー一族の大番頭ヘンリー・キッシンジャーをはじめ、多くの寡頭勢力のメンバーが名を連ねている。

オリンピックはとおの昔にスポーツの祭典などではなく、巨大な利権ビジネスになっているが、特に顕著になったのが1988年のソウルオリンピックである。当時のＩＯＣ会長フラン・アントニオ・サラマンチがその商業主義を推し進め、現在に至る集金システムを確立したのである。

開催地に名乗りを挙げた都市からの賄賂をはじめ、スポンサー契約金や放送権料など、オリンピックの利権を使って莫大なカネを吸い上げるのである。

寡頭勢力へと不正にカネを流す手口の一端は、今回の東京オリンピックでもすでに表沙汰になっている。JOC（日本オリンピック委員会）会長・竹田恒和による贈賄疑惑である。

２０２０年の東京五輪・パラリンピック招致をめぐり、仏検察当局が11日、日本オリンピック委員会（JOC）の竹田恒和会長（71）について贈賄容疑の捜査を正式に開始したことを明らかにした。

仏検察当局は２０１６年春、日本の招致委員会が国際オリンピック委員会（IOC）委員だったラミン・ディアク国際陸上競技連盟（IAAF）前会長の息子に２８００万シンガポールドル（約２億２０００万円）を支払ったとされる疑惑を捜査していると明らかにしていた。竹田会長は、五輪招致委の理事長だった。

（「BBC NEWS JAPAN」２０１９年１月11日付）

竹田はこの2億円あまりのカネをシンガポールのコンサルタント会社「ブラックタイディングス」に送金している。しかし、ブラックタイディングスは築50年ほどの公営住宅の一室に登記されている、いわゆる「ペーパーカンパニー」である。そしてブラックタイディングスとラミン・ディアクの息子パパマッサタ・ディアクとの「ずぶずぶの」関係については、業界内では周知の事実だ。

隠す気がないのかと思うほどの、あからさまな賄賂の図である。しかし、竹田はこれを正当な手続きに必要な「コンサルティング料」であったと述べている。そして、ブラックタイディングスとパパマッサタ・ディアクの関係も知らなかったとしらを切っている。

このディアク親子だが、他にもさまざまな収賄疑惑に関わっている。国際陸連の会長を務めていたラミン・ディアクは、２０１４年にロシア人選手のドーピング疑惑をもみけした報酬としてロシア陸連から１００万ユーロ（１億２４００万円）の賄賂を受け取ったとされ、２０１６年のリオオリンピック招致をめぐりブラジルオリンピック委員会から２００万ドル（２億２０００万円）、さらに２０１８年の平昌オリンピック招致でもサムソングループから多大な賄賂を得た疑惑が取り沙汰されている。

こんな疑惑で真っ黒な親子と関わった竹田が潔白でありえるだろうか。

しかし、賄賂疑惑を棚上げするかのように竹田はＪＯＣ会長、およびＩＯＣ委員を辞任する。そしてディアク親子はフランス当局に横領容疑で起訴されて公判の場に引き出されることとなった。

ＪＯＣ竹田会長に仕組まれた「死亡事故」

ＪＯＣ会長まで上り詰めた竹田だが、20代に馬術でオリンピックに出場しながらも、42位（１９７2年ミュンヘンオリンピック）、39位（１９７６年モントリオールオリンピック）と、メダルにはほど遠い選手であった。なぜそんな2流選手がＪＯＣ会長の座に就くことができたのか。それには二つの理由が考えられる。

その一つが竹田恒和の出自にある。竹田は竹田宮恒徳王の三男として生まれ、明治天皇のひ孫にあたる「旧皇族」なのだ。

ちなみに昭和天皇のいとこにあたる父・恒徳は、第二次世界大戦中、中国で人体実験を行っていた７３１部隊の関東軍参謀であったとされる。戦後、７３１部隊の幹部たちは、日本を占領したＧＨＱ（連合国軍総司令部）にその技術やデータを提供し、戦犯として起訴されるのを免れたともいわれる。

竹田宮は戦後、皇籍を離脱するが、竹田家には「旧皇族」というやんごとなき肩書が残された。その威光を借りて父・恒徳はＪＯＣ委員長に就任し、１９６４年の東京オリンピックの招致に参画する。オリンピックの招致において、周囲はＩＯＣをはじめとした諸外国の要人と交渉する際、旧皇族というブランドが役立つと考えたのだろう。今回のオリンピック招致でも、恒和は世襲するような形でＪＯＣの会長に担ぎ上げられたのだ。

二つ目の理由は40数年前のある事件が関係する。

二十二日午後五時ごろ、新利根村角崎の県道を歩いていた同村×××、会社員××××さん（二二）は、茨城国体馬術競技東京都代表、竹田恆和選手（二六）（東京都港区高輪三の一三の一）の乗用車にはねられ、頭を強く打って近くの病院に収容されたが、二十三日午前零時過ぎ死んだ。江戸崎署の調べでは竹田選手が対向車のライトに目がくらんだのが事故の原因。

（「読売新聞」１９７４年10月23日付）

この交通死亡事故の加害者こそが、若きころの竹田恒和である。

そして事故の顛末だが、女性を車ではねて死亡させておきながら竹田は刑事責任に問われることもなく、示談が成立した。しかも、事故から２年も経たないうちに復帰してモントリオールオリンピックに出場している。

さらに、その後、オリンピック日本選手団のコーチ、監督、ＪＯＣ理事と出世を続けて、ついには会長まで上り詰めたのである。死亡事故の加害者という過去など、まるでなかったかのようだ。まさに旧皇族という「上級国民」としての特別扱いである。同じ交通事故ということもあり、２０１９年４月に池袋で起きた母子死亡事故における元高級官僚への優遇措置が思い起こされる。

事故後の竹田に対する不可解な処遇の裏に、ある事実が隠されているようだ。

私の元に寄せられたいくつかの情報筋からの話によれば、竹田の起こした事故の後始末を付けたのが、寡頭勢力の息のかかった人間だったというのだ。後始末を付けてやることで竹田を配下に取り込んだものと思われる。そして、その後の竹田のＪＯＣ内での地位の後ろ盾になったのもこの寡頭勢力の一派らしいのだ。

もちろん善意からではない。オリンピックをはじめとするスポーツ事業を「集金システム」へと変貌させていく計画の一環であろう。また、この事故自体が寡頭勢力のエージェントが車に細工をするなどして、故意に引き起こした可能性もささやかれている。まさかそこまでと思われるかもしれないが、あながち否定はできない。戦後、日本国内で寡頭勢力の手で「作り出された」事件は決して少なくないのだ。

その後、寡頭勢力はカネによるアメとムチを使って竹田を支配したようだ。ＪＯＣ内で出世していくのと反比例するように、理事長を務めた乗馬クラブは倒産、妻の実家の大病院が経営

「旧皇族」の肩書だけでトップに君臨した竹田恒和 JOC 会長

2019年6月、日本オリンピック委員会（JOC）の竹田恒和会長が五輪招致をめぐる汚職疑惑を受け、退任した。「旧皇族」という肩書の良さだけで8期18年もJOCの会長を務めた。過去には女性を車ではねて死亡させる交通事故を起こしながら、重い刑事責任に問われることもなく、馬術の五輪選手に復帰し、その後はJOC内で順調に出世した。まさに「旧皇族」という「上級国民」ならではの厚遇である。

（出所）JOCのHPより

破綻するなど、竹田の私生活は借金まみれになっていく。そんな中、与えられたＪＯＣ会長の椅子と高額の報酬……。

実は歴代のＪＯＣ会長はいわゆる名誉職であり、無報酬であった。竹田以前の会長は全員、報酬０円である。しかし、２００１年に竹田が会長に就くや、年額１５００万円もの報酬が支払われるようになったのである。

オリンピック関連以外で竹田の金銭面を崩壊させたのは、寡頭勢力の差し金の可能性がある。そして、目の前にカネをぶら下げて、数十年前の「交通事故」を発端に、竹田は寡頭勢力によって骨の髄まで支配されていったのだろう。そして、東京オリンピックに際し、日本人のカネを吸い上げて、寡頭勢力へと送金する中心的な役割を与えられたのである。

ここで表沙汰になった招致にまつわる数億円の賄賂は、オリンピック利権のほんの一部にすぎない。東京オリンピックでは3兆円の開催費用だけにとどまらず、放送権料やスポンサー契約、チケット収入などで約５０００億円のカネが動くとされている。

そしてオリンピックの名の下に吸い上げられたカネが、表に裏にとさまざまなルートを経て、寡頭勢力たちへと流されていくのである。

日本の支配層とマスコミが「オリンピック＝希望の象徴」とのプロパガンダを行っていると先に述べた。しかし真実といえば、日本人のカネを吸い上げるだけのオリンピックは、希望どころか絶望の象徴なのである。

安倍首相に増税を決意させた北海道の大地震

東京オリンピックを総仕上げとして、2020年までに2000兆円もの資産を吸い上げられてきた日本だが、当然日本国内のカネは枯渇する。その当座の帳尻を合わすために行われたのが、消費増税である。

もちろん、日本が独自に判断した政策ではない。2018年10月、安倍晋三首相は消費税10％への引き上げ方針を表明した。本来、安倍は支持率低下や景気の落ち込みを招く増税に関して及び腰であった。詳細は後述するが、この時機、寡頭勢力は世代交代や新勢力の台頭により、その影響力を低下させており、日本への支配も戦後初めてというほど弱まっていた。安倍としては寡頭勢力への「みかじめ料」の支払いを抑えられるのならば、何も急いで消費増税に踏み切らなくてもよいのでは……という思惑があったようだ。

この思惑に敏感に反応したのが、ドナルド・トランプ大統領だった。国内外で旧来の寡頭勢力との熾烈な争いを続けているトランプだが、それはもちろん「アメリカファースト」のためである。寡頭勢力の弱体化に乗じて日本がアメリカの支配を脱する、そんなアメリカの利益にならないことを許すはずがない。

トランプ米大統領は6日の電話で、日本の指導者との良好な関係について語る一方、その関係は「もちろん、私が彼らに対し、彼らがどれだけ支払う必要があるか告げた途端に終わるだろう」と述べた。米紙ウォールストリート・ジャーナル（ＷＳＪ）のジェームズ・フリーマン記者がオピニオン記事で伝え、トランプ大統領が依然として対日貿易に悩まされているようだと指摘した。

（「ブルームバーグ」 2018年9月7日付）

これは明らかに日本に対するトランプからの脅しである。そして、その脅しが口先だけでないことを示すために、「物理的攻撃」を仕掛けた可能性もある。それがこのインタビューと同日の、２０１８年9月6日午前3時7分に起きた「北海道胆振東部地震」である。

この震度7を記録した北海道の大地震だが、調査すると２０１６年4月14日に起きた熊本地震のときと同じく、震源地が自衛隊の駐屯地周辺であった。北海道の安平駐屯地、熊本の高遊原分屯地、ともに陸上自衛隊の施設が激しい地震に見舞われたのだ。

また、北海道と熊本で起きた大地震の波形は、核爆発などによって発生する「人工地震」の波形と二つともそっくりであった。つまりは、「地震兵器」によって国の安全保障の要である「軍事基地」が攻撃された可能性があるのだ。

北海道を襲った地震が人工地震によるトランプからの脅しであったとすれば、その効果はてき面であった。日本の権力層の中に生まれつつあった「ロシアや中国、ヨーロッパなどと連携をして、日本の独立を取り戻そう」という意識は再び一掃された。そして、地震が起きた翌月の10月、安倍によって消費増税の方針が表明された。それは「日本国民からさらにカネを搾り取って、アメリカにお渡しします」と服従の意思をアメリカに改めて示すためである。

消費増税で貧困層と富裕層の格差が拡大する

さて、２０１９年10月1日、大手マスコミによって煽られたオリンピック熱に紛れるようにして、消費増税は敢行された。この増税が日本に何をもたらすのか？

結論からいえば、この消費増税は日本経済崩壊への致命的な一押しである。大げさに聞こえるだろうか？　しかし、「パンとサーカス」のたとえにあるように、オリンピックという見世物に気を取られて、のん気に増税を許してしまった日本人に警鐘を鳴らす識者もいる。

著名投資家のジム・ロジャースは今回の消費増税について「すでに問題を抱えている日本がさらに増税を実施するならば、日本人は子どもを増やそうという気をますますなくすだろう。つまり、行き着く先は、国の破綻だ」と断じ、「消費増税はクレイジーだ！」と言い切っている。

他にも経済学者をはじめとする多くの識者が、「現在のデフレ状況下で消費増税を行えば、消費を冷え込ませ、景気はさらに悪化する」と口をそろえて警告している。

事実、消費増税直後の２０１９年10月、景気動向指数は６年８カ月ぶりの低水準となり、下落幅は東日本大震災の２０１３年３月に次ぐ数値を記録した。

消費増税は不景気を招くだけではなく、深刻な経済格差を拡大させる。消費税には、貧困層ほど負担感が重くなる「逆進性」が働くからだ。

現在、日本の給与所得者の約20％、１６８０万人が年収２００万円以下で、「ワーキングプア」にあたるとされる。ワーキングプアとは、生活保護の水準以下の収入しか得られない「働く貧困層」を指す。

そんなワーキングプアがぎりぎりの生活を維持するため、年収のすべてを消費に回した場合、年収の10％も消費税で取られてしまう。1カ月分の給料以上のカネを徴収されてしまうのだ。

貧困について付け加えて説明すれば、日本はアメリカ、中国に次ぐ世界3位の経済大国にもかかわらず、厚労省の調査によると、日本の「相対的貧困率」（年収122万円以下）は15・7％。つまり、6人に1人が最底辺の貧困で苦しんでいるのだ。当然、消費増税は最底辺の貧困層にとって文字通り死活問題である。

一方、年収1億円の富裕層が年間1000万円を消費に回して優雅に暮らしても、消費税の負担は年収の1％にすぎない。ちなみに日本で年収1億円の富裕層の割合は、10万人に1人、約0・009％とされる。

このように消費増税によって貧しい者はさらに追い込まれることになる。経済的に階級化された「マネーカースト」が拡大することは確実なのだ。

大企業を最優遇！
消費増税で法人減税を補填

もちろん安倍政権にしても、消費増税が招く悲惨な未来を予見していないわけではない。しかし後の章で詳述するように、アベノミクス自体が、いわゆるハゲタカファンドや大手外資系企業などを通して、寡頭勢力へと日本人のカネを吸い上げるための政策に他ならない。消費増税は東京オリンピック事業とならび､安倍の手による日本人の資産収奪の総仕上げなのである。

政府は、「消費増税は財政健全化と社会保障制度維持を目的とするもの」と説明している。しかし実際は消費増税の税収を法人税の大減税に注ぎ、寡頭勢力傘下の大企業の利益を増大させているのだ。

法人税減税の他にも消費増税は大企業に利益をもたらす。

輸出に関わる大企業（輸出入産業のほとんどは､大企業が占めている）には「輸出免税制度」という優遇処置が与えられているのだ。これは、自動車などの輸出品には仕入れ段階で発生した消費税を国が払い戻す、という制度である。輸出企業に対する実質的な補助金であり、その出所は当然、日本国民の血税である。

中小零細企業はたとえ赤字でも消費税を納めなくてはならないが、トヨタ自動車などの輸出大企業は消費税導入以来、一度も消費税を納めたことがない。毎年、税務署から還付金が振り込まれてくるからだ。

ちなみに2018年度の還付金額の推計は、トヨタの3683億円を筆頭に、日産1587億円、ホンダ1565億円と膨大な額を実質的に免税されている。上位13社を合計し

消費増税に苦しむ国民と
還付金にほくそ笑む大企業

2019年10月1日、消費増税の実施を受け記者会見を行う安倍首相。経団連をはじめとする財界トップは「消費者に影響はない」「14%以上のさらなる増税が望ましい」などと評価して、今回の消費増税を歓迎している。輸出に関連する大企業は「輸出免税制度」によって消費税の還付金を得るからだ。消費増税に苦しむ国民を尻目にして、大企業は増額される還付金にほくそ笑んでいるのだ。

（出所）首相官邸のTwitterより

ただけで、軽く1兆円を越える額なのである。もちろん、消費増税後は、さらに多くの還付金が大企業へと渡されることになるのである。

これは大企業を優遇する税制の一部にすぎない。その他、「試験研究税制」といった多くの優遇制度があり、日本の大企業の実質的税率はかなり低い。そして政府は、消費税をじわじわと上げていく裏で、法人税に抜け穴を作り、その税率を引き下げている。1989年に消費税が導入されて以来、法人税の基本税率は40％から23％まで下げられているのだ。

法人税収は、消費税導入時には19兆円あったが、2018年には12兆円まで減収。そして、ここ20年間の消費税収の80％が法人税の減収にあてられているとされる。

その結果、世間が不況であえぐ中、資本金10億円以上の大企業はバブル期の数倍にまで経常利益を拡大させている。

こうして国民から大企業へと吸い上げられたカネは、内部留保として溜め込まれるのだ。

財務省が2日発表した法人企業統計で、2018年度の内部留保（利益剰余金）が7年連続で過去最大を更新した。金融業・保険業を除く全産業ベースで、17年度と比べて3・7％増の463兆1308億円となった。製造業が同6・7％増の163兆6012億円と拡大をけん引した。企業が稼いだお金を内部でため込む傾向が一段と強まっている。

（「日本経済新聞」インターネット版　2019年9月2日付）

この大企業の内部留保は、誰のものか。もちろん、その企業に勤めるサラリーマンたちのものではない。それはすでに、日本のトップ企業の株を大量保有し、日本銀行をも実質支配する寡頭勢力の掌中にあるのだ。

絶望的な少子高齢化で日本滅亡へカウントダウン

繰り返しになるが、オリンピックや消費増税は、寡頭勢力が日本人の資産を収奪する計画の氷山の一角にすぎない。すでに大半のカネは吸い上げられてしまっており、日本経済はスカスカの残滓《ざんし》といった状態である。

日本から急激に失われているのはカネだけではない。日本の人口も減少が止まらないのだ。日本の人口は明治維新から1世紀以上、着実に増え続けてきたが、2000年代半ばより一転、人口の減少が加速している。2019年の出生者数が86万人で、1899年の統計開始以来、初の90万人割れで過去最少を更新した。また、人口に占める0歳～14歳の割合を見ても、世界の平均が26％であるのに対して、日本は12％と世界でワースト2位となっている。それほどまでに日本は少子高齢化が進んだ国になっているのだ。

日本の少子化の要因の一つに、第3次ベビーブームが実現しなかったことがある。日本は戦後に第1次ベビーブーム（団塊の世代）があり、高度経済成長を経て安定成長期に入ったころ、団塊の世代を親に持つ第2次ベビーブーム（団塊ジュニア）が起きた。

しかし、バブル崩壊後の90年代半ば、失われた20年に差し掛かったころ、20代の結婚適齢期にいた団塊ジュニアは、経済的な問題から「結婚できない」「結婚しても子どもを作らない」もしくは「産んでも1人」といった状況となり、第3次ベビーブームは幻となってしまった。

貧富の差によって階級化された「マネーカースト」が拡大して以降、一部の富裕層を除き、若い世代は日本の未来に不安を感じて、結婚して子供を産み育てることができなくなっているのだ。

ここ15年、毎年500校前後の小中高校が廃校になっているという。街から子供が消えて、そして老人たちばかりが増えていく。周りを見渡せば目に見える形で日本の国力の衰退ははっきりと現れているのだ。

東京オリンピックのほんの数年後である2025年には、日本人の3人に1人が65歳以上、

5人に1人が75歳以上となる。現時点でも820万人にいるという認知症患者も、そのころには1・5倍、1200万人に達するとの予想データもある。日本人の10人に1人がボケてしまっているという恐ろしい状態だ。

高齢者とボケ老人が増えれば当然、医療給付費や介護給付費は跳ね上がる。これらに年金を加えた社会保障費は現在より30兆円ほど増え、150兆円に達すると予想されている。

2025年は、日本の滅亡へのカウントダウンが表面化する第一歩、地獄の一丁目といったところだろうか。そして、当然、その地獄にはまだまだ先がある。医療や介護現場は衰退し、老人ホームに入るには長い順番待ち。半分ゴーストタウン化した街の中を、ボケ老人たちがウロウロとさまよう。医療機関の病床数もすでに限界を超えている。大病を患っても入院を拒否されて、数十万人の介護難民が自宅に放置されて、孤独死へと向かうこととなる。

当然、国力は加速度的に下がり、日本は貧困国に転落し、失われた20年などといっていたころはまだ天国だった……というような状況となるだろう。

日本の滅亡を回避することはできないのだろうか？

その方法を探すためには、「マネーカースト」の実態を知る必要がある。まずは次章で日本以上にマネーカーストが深刻化しているアメリカの現状を見ていこう。

第2章
史上最悪の「借金超大国」アメリカが破産する日

アメリカ経済はなぜ、崩壊したのか?

アメリカの「異常な株高」と破裂寸前の「株バブル」

今まさに、アメリカ政府が破産の危機に瀕している。

世界一の経済大国アメリカ。その政府が破産するなんてことは、まずあり得ないと思い込んでいる方もおられるだろう。しかし、歴史を振り返れば、ソビエト連邦を例に出すまでもなく、崩壊した大国はいくらでもある。

「アメリカ政府破産」、これは絵空事ではない。この世界で起ころうとしている現実なのだ。

その緊迫した状況を最もリアルに認識しているのは、もちろん一般市民ではない。特権的な情報を得られる欧米の大物投資家たちだ。ハイレベルなインサイダー情報に精通しているごく一部の投資家たちが、こぞって「アメリカ株・ドル離れ」をしているのだ。

例を挙げてみよう。世界最大の投資持株会社バークシャー・ハサウェイ筆頭株主（会長兼CEO）であり、株式投資の世界では天才と名高いウォーレン・バフェットである。

バフェットは「いい投資案件が見当たらない」として、2019年の時点で、過去最高額の1220億ドルを現金で保有しているのだ。

２０１９年12月にＮＹダウ平均株価が過去最高値を更新するなど、アメリカ経済はこの10年で見れば、一見、好景気のように思える。

しかし、実際にはアメリカの中央銀行であるＦＲＢ（連邦準備制度理事会）が行った「量的緩和」や「超低金利政策」などで生じたあぶく銭により、異常な株高や不動産の高騰といった「資産バブル」が引き起こされているにすぎない。

バフェットは暴落する前に株を売り、暴落すると株を買うという逆張り投資家として知られている。彼は、アメリカの株式市場のバブルは近いうちに弾けると予想しているのだ。

またアメリカの株式市場を詳細に分析すると、２０１８年４月から連続して外国人投資家がアメリカ株を売却し続け、その総額は過去最高の２１６０億ドルに達している。海外の賢い投資家はたちはすでにアメリカを見放しているのである。

それにもかかわらず、株価が最高水準を保っているのは、ＦＲＢが２００８年のリーマンショック以降、量的緩和を進めるために大量のドルを刷り続けたからである。

莫大な金が金融市場に流れ込んだ結果、株価が高騰した。近年の株高は人為的に演出されたもので、実体経済をまったく反映していない。しかし、無尽蔵にドルを刷り続けることはできない以上、量的緩和にも限界がある。

このような状況の下、多くの大物投資家の間に前代未聞の悲観論が蔓延している。

スイス大手金融機関のＵＢＳグローバル・ウェルス・マネジメント（ＧＷＭ）が世界の富裕層を対象に調査をした結果を見ても、今後の金融市場の見通しについてリーマンショック以来の悲観的観測が強まっているのが分かる。

世界の富裕層は２０２０年に混乱が起こるかもしれないと考え、事態に備えている。ＵＢＳグローバル・ウェルス・マネジメント（ＧＷＭ）の調査で分かった。
富裕層投資家を対象に行った調査によると、３４００人を超える回答者の過半数が来年末までに大幅な相場下落を予測しており、平均資産の25％相当を現金で保有している。米中貿易摩擦を最大の地政学的な懸念事項と受け止めているほか、来年の米大統領選挙も資産ポートフォリオへの重大な脅威とみている。（中略）
リポートによれば、回答者の５分の４近くはボラティリティーが上昇する可能性は高いとみており、55％は２０２０年末までに大規模な売り浴びせがあると考えている。調査は８～10月に、投資可能な資産１００万ドル（約１億９０００万円）以上を持つ投資家を対象に行われた。
（「ブルームバーグ」２０１９年11月12日付）

ほとんどの一般投資家が金融市場から手を引いているのだ。見た目の株高とは裏腹に、完全

演出された株価と好景気
アメリカの「株バブル」崩壊が迫る

2019年も過去最高値を更新するなど、株高に沸くニューヨーク証券取引所。しかし、近年の株高は市場の思惑や景気に関係なく、FRBの金融緩和よって作られた「株バブル」にすぎない。演出された株価の高騰に対して、大物投資家や大手金融機関はバブルの崩壊は近いと一様に警戒心を強めている。

に「冷えきった」姿こそがアメリカ株式市場の真の姿である。

詳しくは章を改め説明するが、ＦＲＢをはじめとした世界各国の中央銀行は、マネーカースト最上位に君臨する寡頭勢力が支配している。アメリカ株式市場の株高は彼らによって作り上げられたフィクションであり、そのイカサマ手法の綻びが限界まで広がっているのだ。

勝者が操る「インサイダー情報」と「超高速取引」

２０１８年２月、アメリカ株式市場の株価不正操作に関して大きな内部告発がなされて、波紋を呼んでいる。

シカゴ・オプション取引所（ＣＢＯＥ）のボラティリティー・インデックス（恐怖指数、ＶＩＸ）算出の仕組みを利用して市場操作が行われたと告発する書簡が米金融当局に提出された。関係筋によると、これを受けて金融取引業規制機構（ＦＩＮＲＡ）が調査に乗り出した。

書簡は、ワシントンに拠点を構える法律事務所が、投資ビジネスの上級職の経験がある匿名の人物の代理として12日、米証券取引委員会（SEC）と商品先物取引委員会（CTFC）に提出した。この法律事務所は書簡に加え、正式な申し立ても行った。（中略）

書簡では、高度なアルゴリズムを持つトレーディング・ファームは、実際に取引を行ったり資本を活用したりすることなくS&PのオプションにクオートをT提示するだけでVIXを操作することが可能だと指摘している。

（「ロイター」2018年2月13日付）

ボラティリティー・インデックス（ＶＩＸ）とは株価の値動きの目安となる指数のことで、投資家の不安心理の大きさを表すことから「恐怖指数」とも呼ばれている。ＶＩＸはコンピューターによる株式の自動取引に使われており、この指数が急上昇した際に損失のリスクを減らすため、売り注文を自動的に出す仕組みになっている。つまりＶＩＸを操作すれば株価を操作することが可能なのだ。上記の書簡によれば、この株価不正操作による投資家の損失は、年間20億ドルにも及んでいるとされる。

内部告発を待たずとも、寡頭勢力のこのようなイカサマ手法は株価の動きに目に見えて現れている。というのも、近年アメリカ株式市場の株価が通常では考えられない奇妙な動きを見せているのだ。株価が史上最高値で連騰する「不自然な株高」が続く中、機関投資家や個人投資家たちが兆ドル単位で売り越している。

だが、普通に考えれば、これはかなり不可解な現象だ。「売り越し」とは、市場である一定期間において売りの金額が多い状態を指す。そして、「市場全体として売りの金額が多い場合は株価が下がる」というのが、市場の基本原理である。

また、アメリカの小型株指数である「ラッセル２０００種指数」でも同じような現象が見られる。指数を構成している企業の利益率が軒並み低下しているにもかかわらず、指数そのものだけは過去最高にまで高騰しているのだ。

株式市場の仕組み自体が、完全に機能不全に陥っているのである。

なぜこのようなことが起こるのか。答えは簡単である。株、為替を含めて、金融市場がすべてマネーゲームと化しているからである。

例えば、世界の外国為替取引額は、ＦＸを含めて、１日あたり直物で１・６兆ドル、先物を合計すると５兆ドル以上である。この額は、物を売り買いする商取引などでやり取りされる貨幣の１万倍ともいわれている。どれだけ実体経済と乖離したものかが分かるであろう。

そして、このマネーゲームの勝者は限られている。まずは、国家機密をも含んだ壮大なインサイダー情報を持つ一部の既得権益者。そして、スーパーコンピューターで超高速取引（ＨＦＴ）を行っている一部の大手欧米金融機関だ。

ＨＦＴで問題視されているのが「クオートスタッフィング」という取引だ。クオートスタッフィングとは短時間の間に大量の株式の売買注文を出し、契約が成立する前に瞬時に取り消す手法のこと。このハイテク取引を使えば、大量に買い注文があると見せかけて株価をつり上げたり、その逆を行うことも可能。つまり株価を操作できるのだ。

２０１０年５月にはクオートスタッフィングにより数分の間にＮＹダウ平均株価が１０００ドル近く下落するケース（フラッシュクラッシュ）が発生して、株式市場に多大な悪影響を与えた。しかし、その後、米証券取引委員会（ＳＥＣ）の調査が入っているにもかかわらず、一向に取り締まられる気配もない。当然である。巨大な富と権力を持つ寡頭勢力の「集金システム」を取り締まれる組織など、どこにも存在しないからだ。

天文学的な巨額の財政赤字で年金が破綻する

アメリカ政府が破産に瀕しているのは莫大な財政赤字からも明らかである。

アメリカ議会予算局（ＣＢＯ）によると、「２０１９年年度も歳出が歳入を９５９９億ドル上回り、2020年度には財政赤字が1兆ドルを超える見込み」だという。日本円にして約110兆円もの赤字である。2019年度の日本の国家予算が約100兆円だから、アメリカは1年で丸々日本の国家予算分の赤字を出しているのだ。

実際、アメリカの財政危機は、現実的な形で全米各地にも現れている。超低金利政策の影響を受けて、アメリカ国内では「財政が比較的に安定している」といわれてきたアメリカ最大の公的年金基金であるカルパース（カリフォルニア州職員退職年金基金）が、年金支給額を大幅に引き下げる事態に陥っている。

米信用格付機関ムーディーズもまた、「州政府と地方自治体の年金制度は7兆ドル、企業年金基金は3750億ドルの資金不足に陥っている」と発表した。

さらに、世界最大級の米投資信託運用会社バンガードの創業者ジョン・ボーグルもまた、現在の超低金利が続けば、「運用利回り7・5～8％」を想定しているアメリカ公的年金基金のほぼすべてが「破滅」に向かうと警告しているのである。

世界経済フォーラムの統計ではさらに深刻で、アメリカの年金積立の不足額は2015年の時点で28兆ドル（約3080兆円）に上ると算出している。2050年にはなんと137兆ドル（約1京5070兆円）に及ぶと予測。このような天文学的な額の資金を準備できるはずもなく、給付金が未払いになることは必至。若い世代は払い損となり、高齢者も受給開始年齢の引き上げや受給額の引き下げになるなど、絶望と不安だけがあふれる社会となるはずだ。その怒りの矛先は大規模なデモや暴動といった形で政府へ向けられるであろう。

現在入っている情報によると、アメリカ政府は水面下で、公的資金を導入して事態の「ごまかし」を計っているという。しかし、年金破綻への流れを止めることはもはや不可能だ。

年金は国家への信用で成立している。つまり、年金の破綻は、国家という集合体までも破綻することを意味する。アメリカの崩壊は早晩、必ず起きることなのだ。

いずれにしても目の前の現実を見る限り、アメリカは「未曾有の大不況」であると言わざるを得ない。にもかかわらず、アメリカ政府および大手マスコミは「株価最高値を記録！　好景気だ」「アメリカの経済は大丈夫、安泰だ」などと根拠のないアナウンスを続けているのだ。

「GDP1位」「失業率改善」は数字のトリック

国家破産の危機に瀕しながら、その状況から国民の目を逸らすために、アメリカ政府はさまざまな「意味のない」数字をまき散らしている。

例えば、2019年の失業率だが、マスコミは「アメリカの失業率が改善された」と大々的に報じていた。

米労働省が4日発表した9月の雇用統計は、非農業部門の雇用者数が前月から13万6000人増と、緩やかな伸びとなった。市場予想は14万5000人増だった。失業率は前月の3・7％から3・5％へ低下し、1969年12月以来、約50年ぶりの低水準となった。
（「ロイター」2019年10月5日付）

しかし、このような表面上の数字にだまされてはいけない。

政府は失業率が改善されていると主張するが、アメリカの場合、失業者としてカウントされるのは過去4週間以内に仕事を探していた者のみ。

つまり、職探しを諦めた人や、何らかの事情で求職活動ができなかった人、過去4週間より前の求職活動の結果を待っていた人などは、職にあぶれていても「失業者」としてカウントされないのだ。まさに数字のトリック（ペテン）である。実際はアメリカの労働力人口のうち1億2200万人近くが何の職にも就いていない。これはリーマンショックで不況のどんそこだった時期を超える数字だ。しかも、現在50万人以上のアメリカ人がホームレス状態だという。

失業率に限らず、この数字上のトリックは、アメリカの至る所で行われている。

例えば、アメリカでは庶民の所得の上昇分は物価の値上がりによって消えてしまう「悪いインフレ」が続いている。

そこで、インフレ率を実際より低く見せるために、高騰する住宅費や医療費、教育費などを正確に反映させず、消費者物価指数を低く抑えている。そもそも、アメリカ政府が金融政策の決定にあたって重視するインフレ率は、価格変動の大きい食料とエネルギーの価格を除外して計算された数値（コアインフレ）。庶民の家計を直撃する生活必需品の価格上昇などは無視しているのだ。

ＧＤＰ（国内総生産）の計算方法もトリックだらけだ。

主婦の家事労働や日曜大工、ボランティア活動などは、新たな価値を生み出すにもかかわらず、市場で取引されないためにＧＤＰに含まれない。一方で膨大な軍事費や無駄な公共事業などは「公共サービス」としてＧＤＰに加算される。

また、森林や河川といった「自然資本」も加算されない。例えば、多くの二酸化炭素を吸収し酸素を生み出すことから「地球の肺」と称されるアマゾンの熱帯林もＧＤＰに含まれず、広大な熱帯林を有するボリビアが南米一の貧しい国とされているのだ。

自国の経済格差の広がりを隠蔽したい場合には、ＧＤＰを実際以上に高く見せるために、数値を「中央値」でなく「平均値」で示すという姑息な手段が用いられている。格差が広がり、貧困層が増えれば「中央値」は下がる。しかし「平均値」であれば、多くの人々が貧困であえいでいても、そこにビル・ゲイツ一人の莫大な資産を加算すれば、一気に上げることができる。数字のトリックなど容易なことなのだ。

少々、話が横道にそれるが、さらに根本的な話をしよう。

トリックにだまされてしまうのは、「経済を見るのに数字に偏り過ぎて、現実が見えていない」という現代人の傾向にも一因があるのだ。

目の前に出された数字を鵜呑みにする。その数字を導き出したソースのデータに疑いを持たない。そして何よりも、数字を信用し過ぎて肌で感じる現実を軽視する。これは情報化社会に生きる現代人の弱点ともいえるだろう。

こんなジョークがある。「統計の82・3%はデタラメだと統計で出ている」。統計を妄信することの危うさを皮肉った、笑うに笑えないジョークである。

政府がいかに景気は回復しているとアナウンスしても、自分を取り巻く現実に貧困が蔓延していれば、その社会は貧困なのである。

例えば、アメリカでは格差が拡大した2000年以降、10年間足らずでフードスタンプ（国による食料費補助）の受給者が2倍の5000万人近くに増加した。悪いインフレが弱者へのしわ寄せをもたらした証拠である。国民の約7人に1人が食うに困っている計算になる。そんな国が世界一「豊か」であるはずがない。

我々を支配しようとする者たちは、わざと何もかもを数字に置き換えることで民衆の目をくらませて、真実を覆い隠してしまう。私の読者は、そのような数字のペテンに引っかからないように気を付けていただきたい。

リーマンショックを超える「バブル崩壊」の危機

アメリカ経済の安泰という幻想を支えているのは、いうまでもなく「ドル」の信用力である。しかし、そのドルを発行する権限を持つ、アメリカの中央銀行FRBもまた、すでに「死に体」になっているのだ。

近年、FRBやEU（欧州連合）の中央銀行であるECB（欧州中央銀行）の買い支えにより欧米金融市場は高騰を続けた。しかし、それは、実体経済の回復による健全な株価上昇ではなく、人為的に作られたものである。

また、量的緩和と超低金利政策によって投資熱が煽られた結果、「債券バブル」も起きている。世界の債券の2017年末の時価総額は推計で169兆ドル（1京8400兆円）。金利低下で債券価格が上昇し、量的緩和と超低金利政策が始まった2008年から50兆ドルも膨らんでいる。世界の国内総生産（GDP）の6割強にあたる現状は、明らかに異常事態である。

2017年、FRBは、4兆5000万ドル規模にまで膨れ上がったバランスシートをリセットするため「市場の買い支えを止め、資産（株、債券など）を売却する」という方針を示した。しかし、経済専門家らの見解は「時すでに遅し」といったものだ。

著名な経済評論家であり投資家であるピーター・シフ（ユーロ・パシフィック・キャピタルCEO）は、ITバブル、リーマンショックと、繰り返しアメリカ金融市場に起こっては弾けたバブルを生み出したのは他でもないFRBだと指摘している。そして、現在のバブルは史上最大規模であり、上記の二つよりはるかに危険だと断じている。

また、シフをはじめとする経済エキスパートたちは、FRBが大規模な資産の売却を始めれば、住宅ローンなどの金利の急上昇を招き、結果アメリカ経済が崩壊すると警告している。結論としては、アメリカ経済の崩壊を避けるためには、FRBはバランスシートが10兆ドル規模に膨れ上がるまで投資を続けるしか術はないというのだ。

行くも地獄、戻るも地獄。FRBは、すでに後戻りできないところまで来ているのだ。

事実、FRBは2017年10月から量的緩和の縮小に転じた。バランスシートは3兆9000万ドル規模まで減り、金融政策の正常化に一定の道筋を付けたはずだった。しかし、量的緩和の縮小が続いた結果、金融市場に混乱を招いてしまう。結局2019年10月に資産拡大策を発表し、バランスシートは4兆5000億ドルまでに再び増加してしまう。

実体経済の活性化を伴わない金融政策によって生じたバブルは、いつか必ず弾ける。彼らがアメリカで行っていた、まやかしの「ドルシステム」が限界に達したことを意味している。

現在、FRBの新経営陣が「中央銀行による金融政策の戦略見直し」「実体経済への資金の導入方法」など、新たな手法を検討している。しかし、アメリカ経済を支える「ドルシステム」というものの根本的な崩壊を避けることは、すでに難しい状況であると言わざるを得ない。

アメリカの保管庫に「金塊」は存在しない

第二次世界大戦後、特権的寡頭勢力が壮大な金融詐欺ともいえる悪魔的な手法で世界をペテンにかけて、「ドルの価値」というものを演出し続けてきた。その価値を裏付けてきたのは、金（ゴールド）と石油である（ドルと金、石油の歴史は章を改めて詳述する）。

現在、金と石油両面において、「ドルの価値」の化けの皮が剥がれつつあるのだ。それはつまり「ドル体制崩壊」が迫っていることを意味している。

それではまず、金を取り巻く状況を見てみよう。

２０１７年8月、トランプ政権の財務長官であるスティーブン・ムニューシンが、金絡みで妙な動きを見せた。

8月21日、ムニューシンがケンタッキー州のフォート・ノックス陸軍施設を訪れたことがメディアで報じられた。ムニューシンはその理由について「皆既日食を見に行った」と語ったが、これはもちろん「建前」である。ムニューシンは、その日のうちに陸軍施設内にあるＦＲＢの金塊保管庫を視察している。そして、視察後すぐ「金は安全に保管されている」とツイートした。「本音（本当の目的）」は、まさにこのツイートをすることなのである。

以前から「フォート・ノックスの金塊はすでにない」と、ＣＩＡなど複数の情報筋が断言している。金がすでにないことを前提に、ムニューシンと政府の動きを見る必要がある。

私に言わせれば、財務省のトップがプライベートで皆既日食を見に行ったついでに、「たまたま」その地にあった金塊保管庫を視察して、「ふと思いついたので」その安全についてツイートしたなどということは、絶対にあり得ない。

米財務長官が不自然なツイート「金は安全に保管されている」

2017年８月、連邦金塊保管庫（写真下）を視察したマヌーチン財務長官が、「Glad gold is safe!（金が安全に保管されていて良かった！）」とツイート（写真上）。今回の財務長官による保管庫の視察は、「アメリカに金はもはやない」との疑いを払拭するために仕組んだパフォーマンスだった可能性が高い。

（出所）スティーブン・ムニューシンのTwitter、アメリカ合衆国造幣局HPよりツイートのさりげなさを演出するために、逆算して皆既日食を見に行くという絵（ストーリー）を描いたのだ。突発的な視察を名目に、報道取材もほとんどされていない。

何よりも最後にフォート・ノックスの金塊の量が数えられたのは、なんと1953年なのである。これで「金の実在」を信じろという方が無理があるのではないだろうか。

そしてさらに、アメリカの年度末が差し迫る中、財務省は「フォート・ノックスに貯蔵された1億4700万オンスの金塊を政府は保有している」と「わざわざ」報告している。ムニューシンにせよ、財務省にせよ、なぜ今、尋ねられてもいないのに「金の安全」を必死にアナウンスするのか。その裏にはドル体制の崩壊が迫っている状況が透けて見える。

避難先としての典型的な資産である金は、2019年12月現在、1オンス1470ドル（約16万円）で取引されており、年初以来15％値上がりした。金高騰の背景にはドルの価値、ひいてはアメリカの経済への根強い不信感がある。

金をとりまく混乱した状況の中、アメリカ情報機関に国際金融・貿易などについてアドバイスを行っている投資銀行家のジェームズ・リカーズは、金の価格について「1オンス5000ドル、最終的には1オンス1万ドルにまで跳ね上がる」と予測している。

そして、「迫り来るドルシステムの終焉に向けて、今後ますます世界中の国々が金を取得するペースを上げるだろう」と、金高騰の理由を説明している。

イラクへの制裁は「石油本位性ドル」を守るため
金と並びドルの価値を支えてきたのが、アメリカの「石油覇権体制」である。

詳細は後述するが、特権的寡頭勢力が全世界の原油価格をドル建てでしか決定できなくし、併せてドルでしか取引できなくした。そのために世界各国は石油を買うためにドルを必要とするようになった。

この「石油本位制ドル」による石油覇権体制が現在、大きく変貌しつつあるのだ。

2017年9月、アメリカの重要な原油輸入元の一つであるベネズエラの政府が、「今後はドルでの原油の支払いを受け付けない」と発表した。「今後、人民元建て原油決済を実施する」とドルを決済通貨から排除する方針を示したのだ。その理由として「ベネズエラを『ドルの暴政』から解放するためである」と説明している。

アメリカ（正確にいえばドルを支配する寡頭勢力）から受け続けた経済制裁に対して、ついに抵抗を始めたのである。この宣言に対して、ロシアは「アメリカによる侵略行為からベネズエラを守る」と公言した。

一方、ドナルド・トランプ大統領は、反米色の強い政策を打ち出したニコラス・マドゥロ大統領を「かつて繁栄していた国家を崩壊の瀬戸際に追いやった」と罵倒し、「(ベネズエラは)腐敗した社会主義独裁国家で、善良な人々にひどい苦痛と苦悩を与えている。アメリカは行動に出る用意がある」と、激しい怒りを示した。

そして2019年1月、マドゥロ大統領に対する大規模な反政府デモが行われ、フアン・グアイド国会議長が暫定大統領就任を宣言した。トランプはすぐさまグアイド国会議長の大統領就任を支持して内政に介入しようとした。それは、ベネズエラが世界有数の産油国であり、埋蔵量では世界1位とされているからに他ならない。アメリカはあわよくばベネズエラの石油資本を奪い取ろうとしたのだ。

しかし、アメリカがお得意の軍事介入をする前に、ベネズエラの国民をはじめ、ロシアや中国など多くの国から「クーデターの企てだ」と非難が起こり、アメリカは手を引かざるを得なくなった。

そこで軍事介入する代わりにアメリカは、ベネズエラにさらなる経済制裁を科し、アメリカ国内にあるすべてのベネズエラ政府資産の凍結を命令。マドゥロ反米政権への圧力をさらに強化した。アメリカが圧力を強めるほど、ベネズエラの庶民の暮らしは追い詰められる。しかし、アメリカは石油本位性ドルを守るためなら、いくら庶民が苦しもうが少しも意に介さないのだ。

同じようにアメリカが目の敵とするイランへの制裁も石油利権に絡んでいる。

２０１８年5月、トランプは、イランの核開発を制限するため欧米など6カ国がイランと結んだ核合意からの離脱を表明し、イランへの制裁を再び発動させた。

国際的な約束を一方的に白紙に戻す行為に反発が出る中、制裁を再発動させた背景には、イラン政府が「今後の原油取引の決済通貨をドルからユーロに切り替える」と発表したことがあった。ドルからユーロへの切り替えは、「石油本位制ドル」の崩壊につながる。アメリカとしては看過するわけにはいかなかったのだ。

その上で、アメリカはイランの革命防衛隊をテロ組織に指定するとともに、空母を派遣して中東に展開するアメリカ軍を増強していった。

２０１９年9月にはサウジアラビアの石油施設が攻撃を受けるという事件が発生し、イエメンの武装組織フーシ派が犯行声明を出した。アメリカはイランが関与していると強く主張した。

このサウジアラビア石油施設の攻撃については、アメリカの自作自演である可能性が高い。アメリカがサウジアラビアに敵対するイエメンのフーシ派に武器を渡してサウジアラビアの石油施設への攻撃を煽動した、もしくはアメリカが秘密裏に攻撃をした後、買収したフーシ派に「自分たちがやった」と犯行声明を出させた可能性がある。

これらのアメリカの動きは、イランとサウジアラビアの戦争を煽動しているようにしか見えない。アメリカはその戦争に乗じてイランを叩き潰そうとしているのだ。それは、産油国であるイランから石油資本を奪い取って利益を得ようとしているからに他ならない。

２０２０年1月にはアメリカは革命防衛隊の司令官でイランの国民的英雄カセム・ソレイマニをドローン攻撃で殺害。一触即発の危機を演出しながらもイランへの執拗な圧力を継続している。

このようにアメリカは、「石油本位制ドル」の確立後、ドル以外の通貨で原油取引を行おうとする国に対して軍事力と経済力の両面から圧力をかけ、あわよくばその利権を奪おうとしてきたのである。

しかし現在、陰に陽にと行われるアメリカの圧力にめげずに、ロシアやイラン、カタール、といった原油輸出大国が次々と「ドル以外の通貨での原油取引」の導入を発表している。

さらに、世界最大の原油輸入大国である中国も「人民元で原油代金を決済するように」と、それぞれ輸出元の産油国と契約を交わしている。

石油とドルのリンクを外す動きは、世界中で広がっているのだ。

そして、さらに、崩壊しつつあるアメリカの「石油本位制ドル」に追い打ちをかける流れが起こっている。世界的に再生可能エネルギーの研究が進み、太陽光発電の施設が増加する傾向を受けて、フランス、ドイツ、イギリス、ノルウェー、中国など、多くの国々がガソリン車とディーゼル車の販売禁止を計画しているのだ。

アメリカが、軍事力と経済力で世界の石油資源の要所を押さえることで覇権を維持できた時代は終焉を迎えようとしている。

借金を借金で返済！　瀕死のアメリカは倒産寸前

アメリカが末期であることは、実は、すでに政府自らが（渋々ではあるが）認めるところとなっている。

アメリカの財政赤字が１兆ドルを超える見込みであると先に述べた。さらに政府の公的債務残高、つまり国としての借金にいたっては２０１９年10月までに23兆ドル（約２５００兆円）を突破し、過去最高を更新している。アメリカは人類史上最大の借金超大国なのである。

トランプ政権発足後、大型減税などで減少した税収を補うために国債発行が急増。国債という新たな借金を重ねることで、22兆ドルを突破した同年２月からわずか８カ月で借金が１兆ドルも膨張した。まさに負のスパイラルである。

国債は償還期限が来たら利息を付けて元本を返金しなければならない。支払いが滞れば、デフォルト（債務不履行）となり、国家としての信用を失うと同時に、国家として倒産したことを世界に宣言したことになる。

そこでトランプは、２０１９年7月、債務上限（法律で定めたアメリカ政府の借入限度額）の適用を2年間停止することを発表した。「これ以上、国は借金できない」という限度額をなくすことで、さらなる借金を可能にするというものだ。この措置は9月に迫る国債の償還期限を前に、「アメリカにはお金がないので、さらに借金をして借金を返します」と開き直っているのと同じである。

これによりアメリカは、とりあえずはデフォルトを避けることができたが、根本的な解決になっていない。アメリカは単にあの手この手を使ってデフォルトを必死に回避しているだけなのだ。

アメリカ国債の償還期限などの対外支払い期日は、例年9月末と1月末にやってくる。２０１９年1月には35日間にも及ぶ政府機能の一部の閉鎖と公務員給与の振り込み停止が起きた。

これは違法移民を防ぐためにメキシコとの国境に壁を建設しようとするトランプと、その建設費用を政府予算に含めないとする野党民主党との対立によって引き起こされたものだが、その背景にあるのは、資金の枯渇だ。つまり、国債の償還にお金が必要なために、公務員への給与が足りなくなったのだ。

トランプはメキシコとの国境に壁を作ることに民主党が反対していると難癖をつけ、国民や海外からの目をごまかそうとした。まさに茶番劇である。このときはなんとか資金を調達でき、デフォルトを回避できたが、アメリカはこのような綱渡りを幾度となく繰り返している。

しかし、それもそろそろ限界に近づきつつある。このまま借金の限度額である債務上限を引き上げても、今の状況が変わらなければ2024年までにはすべての借入金を借金の利子返済に充てることになるという試算もあるほどだ。つまり、借金の返済のためにその全額を借金しなければならない時期が迫ってきているということである。まさにアメリカの倒産である。

果てしなく続く財政赤字の膨張、国民を搾取し続ける政治、金の亡者が利を食らい尽くした未来のない経済……。もはや瀕死の状態にあるアメリカの息の根が止まる日は、そう遠くないかもしれない。

第3章

「トランプ軍事政権」と「北朝鮮問題」の真実

権力の空洞化で激変する「世界のパワーバランス」

マネーカースト最上位「ハザールマフィア」の正体

前章では、アメリカ経済の末期的な現状について語った。

ここでは、アメリカという国を、そして世界を、現在のような極限までの「マネーカースト（経済格差階級）」社会へと変貌させた「犯人」について見ていこう。

その犯人とは、私が先ほどから述べている「寡頭勢力」、すなわち「ハザールマフィア」である。

今回初めて私の本を手に取ったという読者もいるだろうから、ここでハザールマフィアの歴史について詳述しておこう。

読者の中には、マフィアという言葉は知っていても、「ハザール」という言葉を聞いたのは初めてという方もいるかもしれない。

ハザールとは、今から1000年以上前の7〜10世紀に、カスピ海や黒海周辺で栄えた奴隷商人国家の名である。

カスピ海や黒海周辺は、ヨーロッパとアジアの折衝点であり、文明的、文化的にも重要な役割を果たしてきた地域である。そして、これは人類の歴史にとっても非常に重要な部分となるのだが、この国家が信仰していたのは、「神」ではなく「悪魔」なのだ。

　この悪魔信仰を紀元前までさかのぼると、「バール」と呼ばれる悪魔を崇拝する古代遊牧民族の宗教に行き当たる。一言で言えば、悪魔を崇めて、人間を家畜のように奴隷化しようとする宗教である。これは、効率的に乳牛などの家畜を管理する遊牧民族のシステムから生まれた思想なのだが、そこには、動物だけでなく「農耕民族（人間）」をも「家畜」として扱う危険思想が含まれている。

　その後、このバールは、古代エジプトを征服した異民族ヒクソスの治世の下、エジプト神話の「セト（サタン）」と融合する。ここで悪魔信仰が一つの完成をみる。

　このヒクソスがエジプト人との戦いに敗れ、エジプトを後にした際に、奴隷として連れてきたのが中近東の農耕民族である。その際、ヒクソスは自分たちは悪魔を信仰していながらも、奴隷を管理するために「神」を作ったとされる。

　そしてこれが、「神よりも悪魔の方が上位にあり、悪魔信仰を盤石にするために神を利用する」という、現在まで続くハザールマフィアの根本的な思想となる。

　古代からの悪魔信仰を受け継いできた奴隷商人国家ハザールだが、10世紀以降、ユダヤ教に（表面的に）改宗して、ハザール系ユダヤ教徒となることで勢力を広げていく。

　17世紀になると、このハザール系ユダヤ教徒の中に、一人の教祖が現れる。サバタイ・ツヴィという人物である。現在のハザールマフィアの祖ともいえる存在だ。

サバタイは、トルコ出身のユダヤ人であり、自らを「ユダヤの救世主」として、新興宗教を立ち上げて布教を始めた。しかし、危険人物としてトルコ皇帝に拘束され、「死刑を受けるか、イスラム教に改宗せよ」と迫られる。このとき、サバタイは100万人以上の信者たちと共にイスラム教に改宗する。見せかけの改宗をしてイスラム教の内部に入り込み、イスラム教を乗っ取ろうと画策したのだ。

その後サバタイの勢力は、他の宗教や有力な組織を乗っ取るときも同じ手口を使うようになる。そして自分たちの支配下に置く宗教や組織を増やし、その勢力を次々と拡大させていった。その目的は一神教、つまりユダヤ教、キリスト教、イスラム教の統一。そしてサバタイ派による権力の掌握であった。

このサバタイ派の継承者らが、現代のハザールマフィアである。彼らは今もキリスト教徒やイスラム教徒のふり、ユダヤ人のふりをしながらさまざまな国の中枢に潜り込んでいる。現在ではアメリカ、EU、日本、サウジアラビア、カタール、ウクライナ、そしてイスラエルの一部を支配するまでになったのだ。

そして、ここは非常に重要な部分なのだが、サバタイの思想の中心に「ハルマゲドン（最終戦争）」があった。ヨハネの黙示録などに描かれた「世界の終り」についての予言だ。

その後、数百年の間、その思想は脈々とハザールマフィアに受け継がれた。そして、「人類の9割を殺して残りの1割を自分たちの家畜にする」という「第三次世界大戦（人工ハルマゲドン）」計画へと発展し、現在に至るのだ。

「金融支配」で大英帝国を乗っ取ったロスチャイルド

ハザールマフィアが人間を支配するのに作り出したシステムは三つある。「宗教」「貨幣」そして「暴力」である。

近世、そのうちの二つ「貨幣＝金融」と「暴力＝戦争」を結び付けることで強大な力を得たのが、ロスチャイルド一族とヨーロッパの王室や貴族を中心とするハザールマフィアであった。

ハザールマフィアの勃興を体現した、ロスチャイルド一族の歴史を見てみよう。

ロスチャイルドの一族の祖は、18世紀ドイツ、フランクフルトのユダヤ人居住区（ゲットー）で暮らすユダヤ人家系出身のマイアー・アムシェル・ロスチャイルドだ。古銭商人から身を起こして財をなし、ロスチャイルド一族の家業となる金融業・銀行業を営むようになる。そしてマイアーは、欧州各国に戦争資金を貸し付けることで、その国の政治への影響力を手に入れていく。この手法はロスチャイルド一族の伝統となり、子孫たちにも受け継がれていく。

マイアーは、貨幣というものが世界を支配する要であることを熟知していた。それはマイアーが1790年に残した「我に通貨発行権を与えよ！　さすれば法律など誰が作ろうとかまわない」という言葉にも如実に表れている。

マイアーの5人の息子たちは、ヨーロッパ中に事業を拡大していく。父親の「通貨発行権」への願いを実現したのは、イギリスで事業展開をしていたマイアーの三男であるネイサン・メイアー・ロスチャイルドである。

19世紀初頭、「ナポレオン戦争」がナポレオン・ボナパルトによって起こされ、イギリスとフランスの間で戦争が始まった。ネイサンは、イギリスに戦費や物資を調達して莫大な利益を上げる。戦時、財政難に陥っていたイギリスにとっては重宝する存在であったであろう。

しかし、ネイサンは単なる便利屋ではなく、胸中に悪魔的な計画を秘めていた。

まずは、ナポレオン戦争で築いた莫大な資産で、イギリスの中央銀行「イングランド銀行」が発行する銀行券（政府紙幣）の買い占めを行った。そして、イギリス政府に対して、銀行券と金（ゴールド）との交換を求めたのだ。

当時、イギリスは金兌換制である。金兌換制とは、金といつでも交換できる約束の上に貨幣の価値が成立する制度である。逆に言えば、金と交換できなかった時点でその貨幣の価値は破綻するのだ。

しかし、戦費調達のために、一時的にイングランド銀行の金はほぼ海外に流出した状態であった。そこを狙っての一斉攻撃である。イギリスがイングランド銀行の破綻を回避するには、ロスチャイルドと和解するしか道はなかった。

ロスチャイルドが出した条件は「イングランド銀行の株式譲渡」。苦渋の選択であったが、イギリス政府はこれを飲んだ。つまるところ、国有銀行が、ロスチャイルド一族単独経営の民間銀行として「民営化」されてしまったのである。

こうして１８２５年、イングランド銀行はロスチャイルドの経営するＮ・Ｍロスチャイルド＆サンズに買収され、中央銀行が持つイギリス通貨（ポンド）の発行権がロスチャイルド一族の手に渡っていく。ついに、ロスチャイルド一族はマイアーの求めた「通貨発行権」を得たのである。

ロスチャイルドがイギリスに対して出したもう一つの条件が「シティ」の割譲だった。

シティとは、14世紀にロンドンの一区画に建造された、イングランド銀行をはじめとしたイギリスの金融機関が密集する城塞都市である。

シティには、有事に備えて、イギリス政府と同格の行政機能が与えられていた。いわば独立した「都市国家」に近い区域なのだ。そのシティが、ロスチャイルド一族の支配下に置かれたのである。ロスチャイルド一族は国家システムの管理から脱して、自らが「システム」となり「法」と化したのである。

その後、世界中に植民地を持つイギリスのシティには、国際金融資本が続々と集まってきた。それに伴い、シティが発行するポンドは、世界最強の基軸通貨となっていく。そしてロスチャイルドが経営権を持つイングランド銀行は、第一次世界大戦の終わりまで「世界の銀行」と呼ばれ、世界中に基軸通貨「ポンド」を投資し、莫大な収益を上げた。

通貨発行権を得たことでイギリスを支配したロスチャイルド一族を中心とするハザールマフィアが、次なる標的に選んだのが新興国家アメリカであった。

彼らはアメリカを支配するために、ナポレオン戦争でイギリスに行った手口を用いる。イギリスの通貨発行権を独占したのと同じように、アメリカの通貨発行権に狙いを定めたのである。アメリカとドルの歴史については次章で詳述するが、彼らは、権力と財力、そして壮大な策謀でアメリカのドル発行権も手に入れる。

ポンドと、それに続くドルという基軸通貨を手中に納めることで、ハザールマフィアは近代のマネーカーストの最上位に君臨していくのである。

「エネルギー資源マフィア」ロックフェラーの死

現在、マネーカーストの最上位を占めるハザールマフィアの内部は、大きく二つの勢力に分けられる。

一つは先に述べたロスチャイルド一族や、世界の大富豪として知られるヨーロッパの王室や貴族たち。

もう一つがロックフェラー一族やブッシュ一族、クリントン一族らを中心として形成される「ナチス・アメリカ（ナチス派）」と呼ばれるグループだ。第二次世界大戦中にアメリカの中枢を乗っ取った彼らは、アメリカの政治や経済、軍事を長きにわたって支配してきた。

しかし現在、ハザールマフィアの権勢が急速に衰退しつつある。アメリカ経済の低迷、中国の台頭、そしてトランプ大統領の誕生はハザールマフィアの弱体化を象徴する大きな出来事といえる。

２０１７年、その衰退に拍車をかける「事件」が起きた。ナチス派の領袖の一人、デイヴィッド・ロックフェラーが死んだのだ。

その死の重大さを理解するには、まず「エネルギー資源マフィア」ことロックフェラー一族の歴史を紐解く必要がある。

1868年、オハイオ州の油田からその歴史は始まった。最初は小さな製油所であったものの、当時は新しい技術だったパイプラインを駆使して価格を安く抑えることで次第に事業を拡大していく。そしてわずか10年後の1878年には、アメリカ国内の石油精製の実に90％を独占するようになる。さらには、中近東の石油を管理するサウジアラビア王家を牛耳って、石油支配の手を世界へと広げていく。

ロックフェラー一族が担っていたのは石油産業だけではない。事業を拡大していく中で、軍事産業や金融業、製薬産業などを傘下に収めて絶大な権力を手にするようになったのだ。「テロ戦争派」の暴力組織ブッシュ一族や国際犯罪ネットワークに通じるクリントン一族と連携し、時にライバルとして覇権を争いながら、石油、軍、製薬、金融を牛耳り、旧植民地における利権を支配してきたのである。

戦後、ロックフェラー一族を、ひいては世界のダークサイドを支配していたのは、3代目当主デイヴィッド・ロックフェラーであった。日本に対する属国支配とも関係が深く、「三極委員会」（改称前は「日米欧委員会」）や「ビルダーバーグ会議」、「外交問題評議会」といった組織や会合の会長職に納まり、アメリカの支配力の及ぶ国々に対して（勅令ともいえる）政策提言を下していった。

長者番付の順位や数字だけを見ていると、一見、デイヴィッド・ロックフェラーの資産は世界を支配するほどには多くないように見える。

亡くなる前年である、2016年発表の米長者番付「フォーブス400」では214位、資産額は31億ドルである。1位のビル・ゲイツの810億ドルに比べると、実に26分の1である。実際に、欧米の一般社会での認識では「過去の人間」となっていたようだ。

しかし、その人間が本当にどれだけの富を持っているかは、実は個人資産では計れない。個人資産で評価する長者番付には財団が入らないからである。財団でカモフラージュすれば、個人資産はいくらでも隠すことができるのである。

実際、デイヴィッド・ロックフェラーが所有している財団をよくよく調べてみると、ビル・ゲイツを越える「兆ドル単位」の財産を所有して（もしくは、個人的影響下に収めて）いたのだ。そして財団を通して大量の株式を所有することで、世界企業の上位、例えば「フォーチュン・グローバル500（世界企業500社番付）」にランクインしているほとんどの企業の実質的支配権を掌握していたのである。

2017年3月20日、このデイヴィッド・ロックフェラーが死を迎えた。101歳没。

自らをギリシア神話の主神「ゼウス」だと周囲に豪語して、戦後70年以上も世界権力ピラミッドの中で絶大な影響力を誇示した、デイヴィッド・ロックフェラー。ハザールマフィアの重要人物の死によって権力が空洞化し、世界のパワーバランスは大きく崩れ、組織の弱体化が加速しているのだ。

さらに2018年11月、ブッシュ一族の長であるパパ・ブッシュこと、第41代大統領ジョージ・H・W・ブッシュも、この世を去った。94歳没。ちなみに彼の妻であり、第43代大統領ジョージ・W・ブッシュの母親バーバラ・ブッシュも同年4月17日に死去している。彼女の父は史上最大の悪魔崇拝者として有名な黒魔術師アレイスター・クロウリーだといわれている。

第二次世界大戦後のハザールマフィアの発展に寄与してきた領袖たちの死は、組織内部で世代交代が始まっていることを意味している。すでにハザールマフィアの幹部だった者たちも次々と失脚したり、死亡したりしている。その中には暗殺されたと思われる者もいる。

事故死に偽装した「ロスチャイルド暗殺」説

ハザールマフィアの世代交代により、組織幹部たちが、世界の表舞台から次々と姿を消している。欧米で起きた革命によって失脚、もしくは暗殺などにより死亡したとされる人物は以下のとおりだ。

第29代イエズス会総会長ペーター・ハンス・コルベンバッハ（2008年退位）
第265代ローマ教皇ベネディクト16世（2013年2月28日退位）
オランダ女王ベアトリクス（2013年4月30日退位）
第6代ベルギー国王アルベール2世（2013年7月21日退位）
スペイン国王フアン・カルロス1世（2014年6月19日退位）

特にベネディクト16世の退位は、ローマ教皇としては実に719年ぶりの自由意志による生前退位であった。これは、本来ならば「あり得ない」出来事なのだ。いかに世界権力の移行で大きな流れが起こっているかが分かるであろう。

その他、「失脚した」「死亡した」と噂されるハザールマフィアは大勢いる。ロスチャイルド一族の複数のメンバー、バチカン銀行の幹部、CIA（米中央情報局）やNSA（米国家安全保障局）などアメリカ当局の複数の長官、ヒラリー・クリントン、ビル・クリントン、ブッシュ一族、ビル・ゲイツなど、枚挙にいとまがない。さらに、これらの人物たちにぶら下がっていた下っぱたちも、権力の座から追われて次々と「消えて」いっているのだ。

2017年11月17日、イギリス・バッキンガムシャー州にあるロスチャイルド一族の大邸宅（ワデスドン・マナー）上空で、ヘリコプターと小型機の衝突事故が起きた。事件が報道された直後から「死亡者の中に、ロスチャイルド一族の長老の誰かが含まれていた」との憶測が飛び交っていた。

その後、CIA筋から「この事故によりジェイコブ・ロスチャイルドが死亡している」との情報も入ってきた。同筋によると、この小型機の衝突は「事故」ではなく、現当主ジェイコブが一族の緊急会議に呼ばれてパリに向かおうとしたところ、それを察知したある者が、彼が乗るヘリコプターに小型機で体当たりしたというのだ。

ジェイコブの死後、長男ナサニエル・フィリップ・ロスチャイルドが秘密裏にロンドン・ロスチャイルド家当主の座に納まっているという。

アメリカでもハザールマフィアの大物が死亡している。

2018年8月25日、ジョン・マケイン上院議員が死去した。81歳没。海軍将校、ベトナム戦争の英雄、共和党大統領候補など、そのキャリアから「アメリカ政界の重鎮」と称された政治家であった。

しかし、マケインの裏の顔は、「イスラム国」の創設に関与したとされる、いわばハザールマフィアの実行部隊トップの一人。死因は脳腫瘍とマスコミは報じているが、複数のペンタゴン（国防総省）筋が「マケインは、アメリカへの反逆行為により処刑された」と伝えている。

アメリカ軍筋によると、マケインにはベトナム戦争で捕虜となり、アメリカ側の作戦や機密情報を漏洩した過去があるという。その際、それが原因で多くの仲間が殺されたことから、軍人からは忌み嫌われていたとされる。ただし、今回の処刑は過去の裏切りが理由ではなく、「テロ組織イスラム国の創設に関与したことだった」と同筋は話している。

そして、マケインは軍当局に拘束された際に多くのことを証言していたため、表向きは「アメリカにおける英雄が闘病の末に死去した」との美談に改変されたストーリーが公表された。

このマケイン処刑についての情報は、大手マスコミでも確認できる。例えば、オハイオ州知事ジョン・ケーシックがCNNの生放送中に「McCain was put to death」と発言。「put to death」とは「処刑」もしくは「殺害」の意味である。ケーシックはマケイン処刑の真相をうっかり口にしてしまったのだ。

後述するが、現在アメリカはドナルド・トランプを神輿に担いだアメリカ軍とハザールマフィアが対立する「内戦」状態にある。このマケインの死を機に、今後は反トランプ勢＝ハザールマフィアの失脚や暗殺、逮捕がエスカレートしていくと同筋らは話している。

「米軍クーデター」で誕生した「トランプ軍事政権」

ハザールマフィアの弱体化を象徴するように誕生したのが、ドナルド・トランプ大統領である。トランプ政権とは、アメリカ軍がハザールマフィア打倒のために作り出した、傀儡「軍事政権」に他ならない。では、なぜ今になってアメリカ軍が、ハザールマフィア打倒に動きだしたのか？

その大元の要因は「アメリカ経済の失墜」である。有り体に言えば、アメリカ政府の破産を予感して、自分たちの未来に不安を感じたのである。

説明するまでもないだろうが、アメリカ軍は世界最大の軍隊である。その軍事費は、年間予算6000億ドル（約66兆円）。世界全体の軍事費の実に3分の1を占める規模である。陸海空軍や海兵隊、沿岸警備隊を合わせると140万人。現在、ペンタゴンが公表しているだけで150カ国以上に軍隊を派遣している。

だが、それだけの規模のアメリカ軍を維持する経済力は、アメリカにはもう残っていない。アメリカ軍上層部が自分たちの未来としてイメージしたのは、かつて青年将校時代に見た、ソビエト崩壊後の旧ソ連軍将校たちの悲惨な姿である。国家は滅亡し、パパ・ブッシュ（ジョージ・H・W・ブッシュ）によって実質的にアメリカの統治下に置かれ、仕事を奪われ、年金ももらえず、妻や娘は生きていくために売春に手を染める、まさに地獄絵図……。

以前、とあるペンタゴン幹部が「解体されるくらいなら、第三次世界大戦を起こしてでも、軍が生き残る道を模索する」と、真剣な表情で語っていたことが思い出される。このままでは、ペンタゴンやワシントンD.C.に巣食うハザールマフィアと共倒れになる。いや、共倒れになるどころか、切り捨てられ、破滅することになる。そのような未来を回避するために、捨て身のクーデターを画策したのだ。

先に述べたように、アメリカの中枢は、ハザールマフィアに乗っ取られている。近年でいえば、パパ・ブッシュ、ビル・クリントン、ベビー・ブッシュ（ジョージ・W・ブッシュ）、そして前任のバラク・オバマと、アメリカの歴代大統領はアメリカ国民に選ばれた人物ではなく、ハザールマフィアの利益のために選ばれた代理人。いわば「操り人形」である。大統領職を持ち回りして、アメリカの権力を掌握してきたのだ。

アメリカ軍が主権を自分たちの手に取り戻すためには、ハザールマフィアの息のかかっていない大統領を作り出すことが必須だったのである。

ではなぜ、アメリカ軍はトランプを担ぎ出したのか？

もともとアメリカ軍とトランプに強い関係があったわけではなかった。彼の政策や政治信条を支持していたわけでもない。

２０１６年の大統領選で、トランプの敵であるヒラリー・クリントンはハザールマフィアを後ろ盾にしていた。つまり「敵の敵は味方」の論理からアメリカ軍はトランプ支持に回ったのである。

選挙戦が始まるころから、ペンタゴンとＣＩＡの両筋より私の元に「マダム・プレジデントの誕生（ヒラリー当選）は絶対に阻止する」との情報が入ってきた。ハザールマフィアである「ヒラリー潰し」に対するアメリカ軍の本気度が伝わるものだった。

一方ハザールマフィアは、傘下の大手メディアを使ってトランプの過去のわいせつ発言などネガティブキャンペーンを執拗に展開。さらにヒラリー陣営に都合の良い情報ばかり流し、終始「ヒラリー優勢」と報じた。世論操作だけでなく、電子投票システムに細工して不正選挙を画策するなど、ヒラリーを大統領にすべくあらゆる手段を講じた。

しかし、国務長官時代に私設メールサーバーを通じて仕事のやり取りをした「私用メール問題」や、夫のビルが主宰するクリントン財団の金銭スキャンダルなど、国民のヒラリー陣営への不信感はピークに達していた。

「クリントンやその取り巻きにはうんざりだ。何とか変えてほしい」という国民の革命的気運が高まり、トランプにとって追い風となっていく。さらに、バックに付くアメリカ軍がハザールマフィアの妨害工作からトランプを守り続けた。

結果、大統領選挙ではトランプが302人の選挙人を獲得。対するヒラリーが227人。75人の大差をつけてトランプが勝利を収める。

このようにトランプは、国民のフィーバーとアメリカ軍のバックアップを受け、ハザールマフィアを征して大統領の座に就いたのである。

今回の大統領選挙はハザールマフィアの弱体化が目に見えて現れた出来事であった。しかし、窮するハザールマフィアが何を仕掛けてくるかわからないので油断はできない。

現在、アメリカはトランプを神輿に乗せたアメリカ軍とハザールマフィアが対決する「内戦」状態にある。今後、アメリカのみならず世界を巻き込んだ激しいせめぎ合いが続くはずだ。

トランプVS金正恩
過熱する「核の脅迫合戦」

アメリカ国内で、旧体制（ハザールマフィア）と対決するトランプ政権とアメリカ軍。その政策はどのようなものだろうか。

　前時代的な「悪」であるハザールマフィアを倒して、本当の「善」を体現する正義のアメリカ軍として生まれ変わった……ということであれば何も問題はないのだが、そのような「善悪二元論」で説明できるほど、現実は単純ではない。

「悪」の敵が「善」や「正義」であるのはフィクションの世界だけである。

　先に詳述したとおり、アメリカ軍が立ち上がった理由は、自分たちの生き残りをかけてである。その理由の範囲をある程度広げたとしても、アメリカ国民のためだからである。その言葉の字義通り「アメリカファースト（米国第一主義）」なのである。

　トランプ政権の対外政策は、実際、ハザールマフィアのペテン的な手法を踏襲している面も多い。目的はもちろん、アメリカおよびアメリカ軍の利益を確保するためである。

　最初に結論を言っておけば、世界の国々にとって、トランプ政権（アメリカ軍）は、旧体制（ハザールマフィア）よりはましである。ただ、ましになったからといって安全になったわけではないのだ。

　日本はトランプ政権に対しても、しっかりと気を引き締めて向かい合わなくてはならない。

　以上のような側面を理解するために、トランプ政権の対外政策、中でも日本に関係の深い「北朝鮮問題」を見ていこう。

大統領就任以来、トランプおよび関係閣僚は、会見やツイッターなどで、北朝鮮に対する挑発的な発言を続けてきた。その一方で時おり一転して友好的な発言も挟み込む。外交上の駆け引きと見る向きもあるが、正直、その真意を汲みかねて混乱した方も多かったのではないだろうか。

それではまず、少し前の話になるが、米朝関係が一触即発の危機に陥った２０１７年からの一連の流れを見てみよう。

２０１７年3月2日、「北朝鮮に対して、トランプ政権が武力行使や政権転覆などの選択肢を検討」とアメリカ大手メディアが報道した。

同月6日、その報道に反発するかのように北朝鮮は4発の弾道ミサイルを発射する。金正恩朝鮮労働党委員長は、このミサイル発射に関して「同時に発射したミサイルが、まるで航空ショーサーカスの編隊飛行のように飛んでいった」という談話を発表。この人を食ったようなコメントにアメリカや周辺諸国はいらだちを募らせる。

同月17日、一連の北朝鮮問題に対し、トランプは「北朝鮮は大変な悪事を働いている。彼らはずっとアメリカを手玉に取ってきた」とツイッターに書き込み、4月11日には「中国が協力を決断しなければ、アメリカは単独でも問題を解決する」と単独武力行使の可能性を匂わせた。

しかし、5月1日、トランプはマスコミインタビューにて「（金正恩との会談について）環境が適切なら会ってもいいだろう」と述べ、さらに会談するのは「光栄だ」とも語り、一転して態度を軟化させる。

7月4日、北朝鮮の国営放送・朝鮮中央テレビが「北朝鮮が大陸間弾道ミサイル（ＩＣＢＭ）の発射実験に初成功した」と発表。成功したＩＣＢＭはアメリカ本土を攻撃可能な2段式の新型ミサイルである。

8月4日、国連安全保障理事会が、弾道ミサイル発射実験を理由に、北朝鮮に対する追加の経済制裁案を可決。これに対して北朝鮮は、「主権を侵害された」として、決議案をまとめたアメリカに「代償を支払わせる」との声明を発表する。

同月8日、「北朝鮮がＩＣＢＭに搭載可能な核弾頭の小型化に成功した」との情報に触れて、トランプは「（金正恩の）脅しは常軌を逸している。北朝鮮は世界が目にしたことのないような炎と怒りに直面するだろう」と警告。日本に原爆を投下したトルーマン大統領の「太陽の源のエネルギーを極東に放つ」という演説を彷彿とさせる、核攻撃をも示唆するけん制を行った。

同月9日、北朝鮮、朝鮮人民軍戦略軍司令官が、アメリカ領グアム周辺への中距離弾道ミサイル発射計画を表明する。

これに対してトランプは、同月10日「グアムに何かをすれば、誰もかつて見たことがないようなことが北朝鮮で起きるだろう」、同月11日にはさらに「北朝鮮が無分別な行動をするなら、軍事的解決の準備は万端整っており、臨戦態勢だ。金正恩が別の道を見いだすと良いのだが！」とツイッターに投稿する。

しかし、同月15日、金正恩の「悲惨な運命を待つ、つらい時間を過ごしているアメリカの行動をもう少し見守る」との発言と、グアム周辺へのミサイル発射の当面凍結という方針が、北朝鮮国営メディア・朝鮮中央通信にて報じられる。ほんの1週間前の強硬姿勢が嘘のような切り替えである。

これを受けて、同月16日、トランプは「非常に賢明で道理の通った決断だ」と数日前までの激しい怒りから、一転して冷静な態度を示した。

このようなアメリカ・北朝鮮間の「加熱」と「冷却」との急激なアップダウンを念頭に、さらにトランプ節が白熱する9月以降の展開を見ていこう。

トランプ暴走の背後に「少女レイプ殺害」疑惑

2017年9月19日、国連総会でトランプは金正恩に「ロケットマン」とのあだ名を付けて演説をした。「ロケットマンは自分とその政権にとって、自殺行為となる任務を遂行している」と猛烈に非難する。

さらに、「(北朝鮮は)この惑星の災いとなっている」「自分や同盟国を防衛するしかない状況になれば、我々は北朝鮮を完全に破壊するしか選択の余地はない」と、北朝鮮への全面戦争を思わせる発言を続けた。

これに対して金正恩は、同月22日の朝鮮中央通信にて「私自身のすべてをかけて、我が共和国の絶滅をわめいたアメリカの統帥権者の暴言に対して必ずその代価を支払わせる」と全面対決の姿勢を示している。

だがこれだけでは終わらず、「臆病な犬ほどうるさく吠えるものだ」「相手を見てからものを言え」「トランプは一国の武力を持つ最高統帥権者としては不適格で、彼は明らかに政治家ではなく、火遊び好きな放火魔か、チンピラに間違いない」「言葉の意味も分からず好き勝手なことを言っている米国の老いぼれた狂人を必ず炎で罰するだろう」と、ロケットマンと揶揄されたことに対して、臆病な犬、放火魔、チンピラ、老いぼれた狂人などと反撃。一国のトップ同士の政治的発言というよりは、酔っ払いの口げんかのような有様である。

そして11月8日、韓国を訪れたトランプは、同国国会で演説した33分間のうち実に22分を北朝鮮問題に割り当てて、「指導者たちが独裁、ファシズム、抑圧を掲げて、国民を監禁している」

「冷酷な独裁政権」「カルトに支配された国」「北朝鮮はお前の祖父が描いていた天国ではなく、誰も行ってはならない地獄である」と、罵倒を繰り広げた。

しかし、数日後には、「彼（金正恩）と友人になるよう努力する。いつの日か実現するかもしれない！」とツイッターに書き込んでいる。

このように罵倒とフォローが入り乱れ、非常に分かりにくい発言であるが、私はトランプの態度が一貫せずに「ブレる」理由を、二つの可能性から見ている。

一つ目は、アメリカ軍の傀儡政権であるトランプだが、ハザールマフィアに弱みを握られて脅されており、その結果、アメリカ軍の意向に反して北朝鮮への「強硬論」を打ち出している、という可能性だ。

そもそもトランプはどんな弱みを握られて脅迫を受けているのか？

大統領選挙中の２０１６年４月、トランプはカリフォルニア州の裁判所にて少女レイプの疑いで告訴されている。１９９４年、実業家のジェフリー・エプスタインが主催した乱交パーティーで、トランプは当時13歳の少女をレイプしたという疑いがかけられたのだ。

トランプはこの疑惑を否定しているが、エプスタインが所有する島に世界中のセレブを集めて乱交パーティーを開いていたことは法廷でも明らかにされている。セレブたちはその島で未成年に金銭やモデルなどの華やかな仕事を与えて、その代償に性的暴行を働いていたという。

そしてそのセレブたちの中に、イギリス王室のアンドリュー王子や実業家時代のドナルド・トランプがいたという。

あくまで「疑惑」にとどまる話だが、エプスタイン自身は2008年に売春斡旋の罪で実刑を受けている。エプスタインがやっていたこと自体は、事実として認定されているのだ。

ペンタゴンやCIAの情報筋は、「トランプは少女へのレイプ疑惑をネタに脅しをかけられているようだ」と明かす。さらには、「トランプが、メリーという名前の13歳の少女を殺害している映像」が存在し、それも脅しのネタに使われているのだという。

いずれもトランプの政治生命がその瞬間に絶たれるような大ネタだ。これらのネタで脅迫されているのであれば、アメリカ軍の意向に反して、北朝鮮に対して強硬な姿勢をとっても不思議ではない。

トランプとアメリカ軍の意向の食い違いは、CNNで報じられたCIA最高幹部らによる国連総会でのトランプ発言に関するコメントから推し量れる。

ジョージワシントン大学で講演した米中央情報局（CIA）高官は、そうした金委員長の行動について、実権の存続を図る長期的な目標に基づいた理性的な行動だと分析した。（略）「実際のところ、朝鮮半島での衝突を避けたいと誰よりも望んでいるのは金正恩氏なのだ」とリー氏は述べ、「我が国をはじめとする各国は、あの独裁政権に流れる保守主義を過小評価する傾向がある」と分析する。

リー氏 やもう1人のCIA高官のマイケル・コリンズ氏によれば、金氏は米国との戦争を望んでいないものの、実権を掌握し続けるためには対立関係を継続させる戦略が鍵を握ると見ている。「北朝鮮は、対立の上に繁栄する政体」だとリー氏は言う。

（「CNN」インターネット版　2017年10月6日付）

大統領直轄機関であるＣＩＡの高官が、公の場で大統領の発言に異議を唱え、「北朝鮮はアメリカとの対立を演出したいだけでアメリカを攻撃する気はない。戦争を起こそうとしているのは北朝鮮ではなくトランプだ」というニュアンスの発言をしているのだ。

つまり、トランプの北朝鮮に対する挑発は、ペンタゴンやＣＩＡの意図するものではなく、ハザールマフィアに脅されたトランプの暴走だということである。ハザールマフィアの要求を飲みつつ、アメリカ軍の意向も配慮した結果、北朝鮮への態度が極端から極端へとブレてしまっているのだ。

「ナチス派CIA」と裏で手を組む北朝鮮

トランプの発言がブレる理由には、もう一つの可能性が考えられる。トランプによる北朝鮮への一連の挑発が、世界の脅威を煽るための「お芝居＝パフォーマンス」であるという可能性である。トランプがアメリカの国益のために、ハザールマフィアの北朝鮮に対する政策を踏襲しているのだ。その可能性を考察するためには、まずは北朝鮮という国家の、本当の成り立ちを知らねばならない。

北朝鮮は第二次世界大戦中、日本軍に徹底抗戦を挑んだ金日成によって建国されたとされている。しかし実際、その建国に大きく関与したのは、その徹底抗戦の相手である旧満州の日本軍残党である。彼らは敗戦濃厚となった日本に見切りをつけ、逃亡先を作ったのだ。

建国後、旧日本軍残党は、同盟国ナチス・ドイツの残党を介して、「ナチス派CIA」と通じるようになる。「ナチス派CIA」とはCIA内部に存在するハザールマフィアの裏部隊である。そしてナチス派CIAは、旧日本軍残党を使って日本の暴力団とのルートを構築し、北朝鮮製の覚せい剤を売りさばくようになった。

ナチス派ＣＩＡは、覚せい剤取引に自らが製造した偽札「スーパーＫ」を使用した。麻薬シンジケートに渡ったスーパーＫの使用場所を突き止め、「証拠は押さえた。逮捕されたくなければ傘下に入れ」と彼らを配下に収めていったのだ。覚せい剤はナチス派ＣＩＡにとって、資金稼ぎであるとともに、裏社会掌握のためのツールだったのである。

さらに、旧日本軍残党はナチス派ＣＩＡの手先として、大韓航空機爆破事件をはじめとする、日本や韓国での暗殺やテロに関わるようになる。

北朝鮮のＩＣＢＭミサイルの技術などは、これらの覚せい剤製造・販売やテロ活動の見返りとして、ハザールマフィアによってもたらされたものである。

ニューヨーク・タイムズ（２０１７年8月14日付）でも、マイケル・エルマン国際戦略問題研究所（ＩＩＳＳ）専任研究員の「北朝鮮はウクライナの軍需工場で生産されたロケットエンジンを、闇市場を通じて購入した」という見解が報じられた。

ニューヨーク・タイムズの報道は、ロシアに疑惑の目を向けさせる意図を持つものだが、ウクライナといえば旧ソ連崩壊後、ハザールマフィアに支配された国である。北朝鮮とハザールマフィアとの関係を考えれば、北朝鮮にミサイルを流した犯人が自ずと浮かび上がってくる。

以前から「北朝鮮の潜水艦は、実は同国のものではなくイスラエルのものだ」という情報もペンタゴン筋から伝わっている。北朝鮮は、表では欧米諸国を目の敵にする発言を続けながら、裏ではハザールマフィアを通してイスラエルの潜水艦を借りて配備している。まさに表と裏が正反対の二面性国家なのだ。

ナチス派ＣＩＡを窓口としてハザールマフィアをバックに付け、表と裏を使い分けて体制を維持する国家、それが北朝鮮なのである。

半島危機で「欠陥兵器」を日本に押し売り

それではなぜ、ハザールマフィア、もしくはその政策を踏襲するトランプは、北朝鮮と「お芝居」を打っているのか？　それは世界の脅威を煽れば儲かるからである。

北朝鮮問題を材料にした「錬金術」には、大きく分けて3種類ある。

一つ目の錬金術は、いたって単純である。北朝鮮の「脅威」を演出して、日本や韓国にアメリカ製の武器を買わせるという商売である。

現在、トランプは北朝鮮の脅威を声高に叫んでいるが、そもそも1998年に北朝鮮が人工衛星・光明星1号を打ち上げた時点で北朝鮮のミサイルはアメリカを射程圏内に入れている。

今になって北朝鮮のミサイルが「脅威だ」というのは無理筋な話である。20年以上、アメリカを攻撃しようと思えばいつでも攻撃できたのだ。

しかし北朝鮮はアメリカを攻撃しない。攻撃する理由もない。先にも述べたとおり、北朝鮮はこれまでずっとハザールマフィアと裏で手を組んだアメリカの傀儡国家だったからだ。

関係筋からの情報によれば、諜報機関の人間として北朝鮮を何度も訪れたことがあるＣＩＡ筋の人物も「北朝鮮のミサイル問題自体が、（アメリカとの軋轢をもたらす種類のものではなく）茶番である」という見解を持っているという。

また、その人物は「北朝鮮の政府高官は一般アメリカ人よりも正しい英語を流暢に話すことができる。北朝鮮はアメリカの半植民地だ」と断言していたという。私は同じような見解を、中国の政府関係者からも聞いたことがある。

これらの情報を総合すると、アメリカが北朝鮮のミサイル騒動を演出している目的は主に二つ。「武器の営業」と「ドルシステムの覇権を取り戻すべく、核戦争という交渉カードで世界を脅すため」ということになる。

その武器のお得意営業先なのが、日本と韓国である。

現在、北朝鮮の弾道ミサイルに対する軍備として熱心な売り込みが続いているのが、「イージス・アショア（弾道ミサイル防衛システム）」だ。これは、1基あたり1０００億円と高額で、毎年のメンテナンス費用も払わなくてはならない上に、なんと「欠陥商品」なのである。

アメリカでは、政府機関の行政監査院（ＧＡＯ）がその有効性に疑問を呈して、自国の軍隊すら購入を中止している代物なのだ。そんな欠陥商品をアメリカの軍産複合体レイセオンとロッキードが日本と韓国に売り付ける。日本も韓国も完全にリサイクルショップ扱いである。

「北朝鮮インサイダー取引」と「半島和平の真相」

二つ目の錬金術では、売り付ける商品が武器から「アメリカ国債」へと変わる。

２０１７年夏ごろ、アメリカ大手ニュース放送局ＭＳＮＢＣなどが、「北朝鮮情勢の緊迫化に伴い、投資家たちが資産の安全な避難先を探して米国債を買っている」というストーリーを必死に報じて、米国債を買わせようとする動きが見られた。これを裏で操っていたのはアメリカの中央銀行ＦＲＢ（連邦準備制度理事会）である。

価格の下がった米国債をＦＲＢが自ら買い集めておき、「買い煽り」の報道で価格を上昇させて売り抜けようと画策したのだ。

これこそハザールマフィアの常套手段である。折しも前述のとおりＦＲＢが悪巧みをしていた真っ最中、２０１７年8月に、イギリスの経済紙フィナンシャル・タイムズが、同誌が関わった１０３年前のイギリス政府による国債詐欺について報じた。

記事によれば、第一次世界大戦が勃発した１９１４年、イギリス政府とヨーロッパ系ハザールマフィアの牙城イングランド銀行は、戦費調達のためにある計画を実行したという。

まずイングランド銀行が、大量に売れ残っていた戦時公債（ウォーボンド）を買い取る。その後、フィナンシャル・タイムズが「債券が大人気で完売した」という嘘の記事を掲載する。そして、価格が高騰したところでイングランド銀行が売り抜ける、といったものだ。

まさに、今回のＦＲＢとまったく同じ手法である。マスコミを使った「国債詐欺」は、ハザールマフィアのいつもの手口のだ。

そして三つ目の錬金術は、いわば「壮大なインサイダー取引」と呼ぶべきものである。

前述した、トランプの北朝鮮に対する態度の緩急を思い出してほしい。事前にトランプが挑発的な発言をするタイミングを知っている者が、意図的に株価を操り、インサイダー取引で暴利を貪った可能性があるのだ。

この疑惑に関しては、私としても完全に裏が取れているわけではない。だが、確信はある。さまざまな世界経済の数字の動きと、各種の情報を総合すると、やはりクロといった判断が導き出される。

この手法にもまた、歴史の先例がある。2013年に没したマーク・リッチというアメリカの大物投資家のやり口である。1970年代から、イランとイスラエル両国の諜報部と通じていたリッチは、両政府に裏金を渡して「一触即発」を演出。中東諸国の政情不安によって変動する原油取引を巧妙に利用して、巨万の富を得たのだった。

北朝鮮ミサイル問題も間違いなく同じやり口である。戦争や紛争を演出して行うインサイダー取引なのだ。中東や北朝鮮の「一触即発」騒動を煽る馬鹿の一つ覚えのような手口に、世界は延々とだまされ続けてきたのだ。

しかし、トランプの思惑と裏腹に、「北朝鮮問題インサイダー取引」は思ったほどの成果を見せなくなっている。例えば、アメリカのS&P500種株価指数が目に見えて動いたのは、2017年8月8日のトランプの「炎と怒り」発言のときぐらいであった。株価への影響が低下しているのだ。

トランプやハザールマフィアが、まるでオオカミ少年のように繰り返す「核戦争が勃発するぞ！」という脅しが、ブラフだとバレつつあるのだ。

そうした中、2018年3月9日、トランプは金正恩からの首脳会談の要請を受諾した。北朝鮮が突如、「非核化」というカードを持ち出したのだ。そして同年6月12日、シンガポールで史上初の米朝首脳会談を行い、友好的な雰囲気で終わった。なぜ、一触即発の危機から一転、和平へと舵を切ったのだろうか？

これまで過去20年間、アメリカと北朝鮮は、核問題の緊張がピークに達するたびに、核の開発凍結や放棄を約束、いったん小休止を挟んできた。だが、しばらくすると必ず両国の協議は決裂して北朝鮮は核の開発や実験を再開。元の緊迫した米朝関係に逆戻りした。

これは「テンションリダクション」というマーケティングの手法とそっくりである。消費者のテンション（緊張）をリダクション（緩和）させて、注意力や警戒心が散漫な状態になったとき、改めて商品を売り込むのだ。

実際に、６月に行われた米朝首脳会談においても、非核化などが提示されて緊張緩和の演出がなされた。そして、２０１９年２月27日、ハノイで行われた２回目の米朝首脳会談では、和平ムードで世界の注意力が下がった頃合いを見計らったように、前回の友好的な雰囲気から一転、協議が決裂する。北朝鮮問題という「商品」への注目を再び集めたのだ。

同年６月30日、トランプと金正恩は南北国境の板門店で再び会談を行い、和平交渉の継続を確認した。しかし、米朝関係は修復するどころか、10月２日、北朝鮮は潜水艦発射弾道ミサイル（ＳＬＢＭ）を発射し、同月５日にスウェーデンで行われた米朝実務協議も決裂してしまう。12月には北朝鮮の外務省が「クリスマスのプレゼントに何を選ぶかはすべてアメリカの決心にかかっている」と挑発的な談話を発表する。

そして、2020年1月1日の新年早々、金正恩が「世界は新たな戦略兵器を目撃するだろう」と述べ、核実験とICBM発射の再開を示唆したことを朝鮮中央通信が報じた。

このように、トランプと金正恩は、過去20年の米朝関係と同じく緊迫と和平を繰り返す「茶番劇」を演じ続けているのだ。

ハザールマフィアは北朝鮮の脅威を煽ることで儲けを企てきた。一方の北朝鮮も自らの脅威を煽ることで、経済協力の見返りなどを受けてきた。ハザールマフィアと北朝鮮はお互い様の関係だったのだ。しかし、世界の潮流は、そんなやり口にだまされなくなりつつある。

北朝鮮問題がどのような展開を見せるか。ハザールマフィアとトランプの関係や彼らの動きとともに、今後も注視する必要があるだろう。

アメリカと北朝鮮が繰り返す 緊迫と和平の「茶番劇」

2018年6月、史上初めての米朝首脳会談が行なわれた。しかし、2019年2月に行われた2回目の首脳会談では、友好ムードから一転、協議が決裂してしまう。以降、両国の関係は友好と決裂を繰り返すようになる。結局、過去20年間、米朝が核問題において緊張と緩和を繰り返してきた茶番劇と同じである。ハザールマフィアの傀儡国家である北朝鮮の真の狙いは、和平よりも核の脅威を煽って儲けを得ることなのだ。

（出所）ドナルド・トランプ大統領のInstagramより

第4章
「ドルシステム」の崩壊と「人民元」の躍進
ドル、人民元、仮想通貨、激動する通貨体制

「株式会社USA」の大株主が国民の税金を奪う

この章では「通貨」について語ろう。

通貨について語るということは、経済を語ることに等しい。通貨の歴史とは古代より現代に至る経済の歴史でもある。その通貨のコントロールこそ、ハザールマフィアの世界を支配する手段であり、「マネーカースト」の根底をなすものだ。

前章では、イングランド銀行を手中に納め、イギリス政府から割譲させた「シティ」を本拠地として、世界支配へ歩み出したロスチャイルド一族の歴史を語った。

また、アメリカにおいては、ロックフェラー一族、ブッシュ一族、クリントン一族らが、石油利権をベースにアメリカの金融・軍事を支配していった軌跡を振り返った。

ここからは、ハザールマフィアたちが、アメリカ、そして世界を支配していく過程そのものである「ドルの歴史」について詳述する。

イギリスの中枢を乗っ取ったロスチャイルド一族は、新興国家・アメリカへと魔の手を伸ばすチャンスを虎視眈々とうかがっていた。そして、1861年、奴隷解放問題を契機とした内戦、南北戦争が起こると、その裏で一気に暗躍を始めたのだ。

まずは、戦費を必要としている北軍と南軍に、それぞれ軍資金を貸し出した。両陣営に融資することで戦火を拡大させたのだ。そして、内戦が終結するころには、疲弊し尽くしたアメリカの資産の多くは、借金のカタとしてロスチャイルド一族に奪われてしまっていた。かつてイギリスを乗っ取ったときと、まさに同じ手口である。

この貸付金がなかったら、戦争の遂行どころか、そもそも南北戦争自体が起こってなかった可能性すらある。死者60万人。アメリカ史上最大の人的被害をもたらした戦争を引き起こしたのは、他ならぬロスチャイルド一族であるということもできる。

その後、1871年、コロンビア特別区基本法が可決、政府所在地であるワシントン市を特別区に統合した特別都市「ワシントンD.C.」が誕生する。ワシントンD.C.にはアメリカ国内にありながらアメリカとは異なる法制度が敷かれている。つまりアメリカの領土内にありながら、アメリカに属していない特別区なのだ。

ロスチャイルド一族は、イギリスでは金融独立区「シティ」、アメリカでは政治的独立区「ワシントンD.C.」を成立させたのだ。一国の政治中枢が独立した自治区に存在する国家など他に例を見ない。何ともいびつな政府が作り上げられたのである。

さらにワシントンD.C.に、アメリカの支配を一括にするために、政治家や国家中枢機関を統轄する「株式会社ＵＳＡ（THE UNITED STATES OF AMERICA CORPORATION）」という民間企業を創設する。いわばワシントンＤ．Ｃ．のオーナー企業である株式会社ＵＳＡは、元々は自治領プエルトリコで法人登記されて、アメリカ大手信用調査会社のデータベースにも載っている、れっきとした法人企業である。

そして株式会社である以上、この会社には株主がいる。そこに名を連ねているのが、ロスチャイルド一族やヨーロッパ貴族、ロックフェラー一族、ブッシュ一族といったハザールマフィアなのである。

公的機関が公共の利益のために存在するのに対し、民間企業は株主の利益のために存在する。つまり現在のアメリカ政府は、アメリカ国民のためにあるのでなく、ハザールマフィアのためにあると言っても過言ではない。

例えば、ＩＲＳ（国内国歳入庁）はワシントンＤ．Ｃ．に本部を置く、日本の国税庁に該当する機関であるが、ここも完全に株式会社ＵＳＡの一部である。

私の得た情報によれば、ＩＲＳに収められた税金（連邦税・州税）は、国家予算や州予算には計上されず、67％がイギリス王室を中心としたヨーロッパ貴族、23％がワシントンＤ．Ｃ．の株主に渡され、残る10％はＩＲＳの経費になるという驚くべき報告もある。数字に関しては未確定の部分も多いが、構造的には間違っていない。

このように大多数の国民の税金さえも一握りの大株主のために吸い上げられている。これがアメリカという国におけるマネーカーストの実態なのである。

「民間銀行」FRBに奪われた「ドル発行権」

アメリカの政治中枢を掌握したロスチャイルド一族は、アメリカ支配計画の仕上げへと駒を進める。「ドルシステム」の構築である。

1907年10月、アメリカで大物投資家による銅精製企業の株買い占めを発端とした金融恐慌が発生する。株価は前年最高値に対して50%まで暴落し、恐慌はアメリカ全土へ拡大、州銀行、地方銀行、証券会社をはじめとする多くの企業が倒産した。この恐慌で発生した失業者は、300万人とも400万人ともいわれている。

この恐慌をきっかけにして、ロスチャイルド率いる「シティ」勢力はアメリカの「ドル発行権」の奪取を画策する。手始めに「今後、支払いには中央銀行が発行する『金兌換』紙幣しか受け付けない」と発表した。当時、アメリカには中央銀行が存在せず、各州の代表的な民間銀行が独自に「銀兌換」紙幣を発行していた。しかし「世界の銀行」であったシティが「民間銀行の銀兌換紙幣は信用できない」と一方的に引き受けを拒否。これは事実上、既成の銀行に対する死刑宣告に等しいものであった。

１９１０年、Ｊ・Ｐ・モルガンが所有するジョージア州のジキル島で、モルガンやポール・ウォーバーグ、ジョン・ロックフェラーら金融界の黒幕が秘密会議を開き、中央銀行設立のプランが立てられる。

１９１３年、その会議に出席したウッドロウ・ウィルソンが、モルガンやロックフェラーなどを後ろ盾として大統領に就任する。

同年、ウィルソン大統領は「オーウェン・グラス法」に独断で署名してしまう。ここに、アメリカを12地区に分割して、それぞれに連邦準備銀行を作り、その上部に連邦準備制度理事会（ＦＲＢ）を置く連邦準備制度が成立した。

「連邦準備制度」という名称からは公的機関という印象を受けるが、12行ある連邦準備銀行はまったくの民間銀行である。さらに株主になれるのは民間の金融業者だけであり、政府は株を持ってはいけないと法律で決められている。つまりアメリカの中央銀行であるＦＲＢは完全な民間企業なのである。

ではなぜ、政府管轄の中央銀行にしなかったのか。ＦＲＢの説明では、当時のアメリカには金兌換紙幣を発行できるだけの金（ゴールド）がなかったから、としている。そのため仕方なく大量の金を持つ資本家に株を売却した、というのだ。

その株主はもちろん、すべて「シティ」の勢力である。

結果、各州の州銀行はもとより、アメリカ政府すらドルを発行する権限を失った。ドルの発行権を持っているのは、民間企業であるＦＲＢのみとなったのだ。

アメリカ国民の手から、自国の通貨が奪い去られた瞬間であった。

オーウェン・グラス法に署名したウィルソン大統領は後年、「私は最も不幸な人間だ。うっかりしてこの国を駄目にしてしまった。この偉大な産業国家は、金融制度に支配されてしまった」と、激しく悔やんだという。アメリカ経済、ひいては世界経済の未来をハザールマフィアの手に渡してしまったという、取り返しのつかない「うっかり」である。

ＦＲＢがロスチャイルド一族らの私有企業だというのは、なにも歴史上の話ではない。

現在でも、ロスチャイルド銀行（イギリス）、ロスチャイルド銀行（ドイツ）、ラザード（アメリカ）、クーン・ローブ（アメリカ）、ウォーバーグ（オランダ）、ウォーバーグ（ドイツ）、ゴールドマン・サックス（アメリカ）、チェース・マンハッタン銀行（アメリカ）と、ＦＲＢの大株主の大半がロスチャイルド率いる「シティ」勢力の国際金融資本である。

借金札「ドル」で搾取する「ドルシステム」

それでは「ドルシステム」というものが、いかにアメリカ国民の利益と相反するものであるかを説明しよう。

まず、インターネットなどで検索して、米ドル紙幣を見ていただきたい。それらには「紙幣」を意味する「ＢＩＬＬ」という文字はなく、「証書」を意味する「ＮＯＴＥ」という文字が書かれている。ではＦＲＢはいったい何の証書を印刷しているのか？　一言で言えば米国債という借金に対する「借用証書」だ。いわゆる借金札と同じ種類のものである。つまり、１ドル札を持つことで、１ドル分の価値があるものを手に入れたわけではなく、あくまでＦＲＢに「１ドル貸した」だけなのだ。つまりドルとは、米国債という「借金札」と引き換えできる「借金札」なのだ。

借金札（ドル）をその価値分のものと交換しようとしても、渡されるのは別の借金札（国債）で、今度はその借金札（国債）を持っていくと、渡されるのは別の借金札（ドル）……。まるで童謡の、白ヤギと黒ヤギの手紙のやりとりのようなことが起こってしまう代物なのだ。

ここで「ドルが金本位制であった時代には、ドルを銀行に持っていけば金と交換してくれたのではないのか」という疑問が生じる。金本位制とは金を担保に紙幣の価値を裏付けする制度だ。例えば1ドル紙幣に対しては1ドル分の金と交換せねばならない。しかし、ニクソンショックでドル金本位制が崩れる1970年代まで、アメリカ国民は個人で金を所有することを法律で禁じられていたのである。これも、もちろん、アメリカ政府が意図的に仕組んだことである（ニクソンショックに関しては後述する）。

そして、ここがこの「ドルシステム」の要となる部分だが、ドルが刷られるたびに、アメリカ政府からFRB、そしてFRBからその株主へとカネが流れるシステムになっているのだ。通貨発行権を持たない政府はドルを刷ることができない。そこで政府は財務に必要な金額に合わせて米国債を発行する。そしてFRBがその国債と引き換えにドルを発行する。

つまり政府はFRBに借金をしてドルを得るのだ。当然、米国債の金利分の返済が政府に発生する。短期～長期で1～3％の金利だが、米国債の債務残高から計算すると、その返済額は毎年約4000億ドルに及ぶ。これだけの金利が、刷ったドルと同じ分の米国債を所有している（すなわち政府にカネを貸している）FRBの株主の懐に入るのである。

そして、この政府の借金を背負うのは、当然、アメリカ国民である。ドルが刷られるだけで、毎年4000億ドルも搾取されることになる。その後、ドルが世界の基軸通貨となるに及び、世界でドルが必要とされればされるほど、アメリカの借金が増えて国民が貧しくなっていくというパラドックスが続くようになったのである。

ドルシステムの悪質なところは、国民に直接借金をさせるわけではない点である。国家に借金をさせて、結果的に税金などの形で国民の財布から抜き取るのだ。段階を経ている分、その悪辣さがカモフラージュされている。奴隷に搾取されていることを気づかせない、洗練された近代の「階級的奴隷システム」マネーカーストなのである。

そして、当然だが、米国債を担保としているドルは、毎年、金利の返済分（つまりハザールマフィアが搾取した分）だけ目減りして、価値が下がる一方である。このドルの価値の目減りに対処するために、ハザールマフィアはさらなる悪事を繰り広げることとなる。

「金本位制ドル」から「石油本位制ドル」に急転換

ＦＲＢ設立時、ドルは金本位制でスタートした。ドルの価値の裏付けとなる金を用意したのは、アジアの王族たちであった。その後、１９２９年の世界恐慌でも、ドルの価値を保つためにさらにアジアの王族から金を借りることとなった。

このときの担保となったのは、アメリカ国民の一生分の労働力である。１人につき、30万ドル分の債権が発行されたのだ。１９３６年に発行された社会保障番号は、担保であるアメリカ国民をデータ管理するために作られた制度である。近年、日本で開始されたマイナンバーも、もちろん同様の意図から作られたものだ。

第二次世界大戦中、全世界が戦争で疲弊する中、本土が戦地とならなかったアメリカは、戦争特需により莫大な金を手中に納める。そして戦時中の１９４４年、圧倒的な経済力を背景に「ブレトン・ウッズ体制」を築き上げる。金１オンス＝35ドルの固定相場制を取ることで、ドルを世界唯一の金兌換通貨としたのだ。

そして、これを契機にドルは世界唯一の基軸通貨の地位を得る。ここにきて、ハザールマフィアの儲けも一気に増加する。ドルでしか国際貿易の決済ができない以上、世界中の国がドルを必要とする。アメリカが無尽蔵にドルを刷り続けてもその価値が維持され、莫大な通貨発行益を得られるようになったのだ。

世界の市場をドルで支配する一方、世界各国の中央銀行を支配するためにワシントンD.C.に設立されたのが「世界銀行」である。表向きは第二次世界大戦後の発展途上国の貧困撲滅を目的と謳いながらも、その実はハザールマフィアのための組織である。

ＴＰＰ（環太平洋パートナーシップ協定）はハザールマフィアによる世界各国への内政干渉を目的としたものだったが（ハザールマフィアと対立するトランプによってアメリカは脱退）、その協定において国家間の争いを裁定する「投資紛争解決国際センター」の上部団体が、この世界銀行だ。中央銀行や国際貿易協定を通して「世界の富を見張る」機関である。

ロスチャイルド一族を中心とするヨーロッパ系ハザールマフィアが支配する「中央銀行の中央銀行」が、スイスに本部を置くＢＩＳ（国際決済銀行）である。こちらは世界銀行よりやや歴史が古く、１９３０年に第一次世界大戦後のドイツの賠償金取り立てのために作られた組織である。現在でも各国の中央銀行同士の決済機能を掌握し、世界の金融的流通を支配している。

ドルについて話を戻そう。その後、長引くベトナム戦争、アメリカの経済発展の足踏み、ハザールマフィアによる無軌道なドルの発行などにより、ドルの価値が急激に低下、深刻な通貨危機に直面する。アメリカ経済、およびドルの価値に不安を覚えたイギリスやフランスを中心とした世界各国が、アメリカに対して保有するドルと金の交換を求めた。その結果、アメリカの所有する金は、急激に海外に流出していく。

そして１９７１年8月15日、リチャード・ニクソン大統領は、電撃的に、ドルの金兌換の停止を発表する。いわゆる「ニクソンショック（ドルショック）」である。

この一方的な金兌換停止は、「アメリカには、ドルの価値を裏付ける量の金が、すでに存在しないのではないか」という疑いを持たせるに充分な出来事であった（その疑惑をアメリカは一度も晴らさないままに、現在に至っている）。

一方的に金との兌換を取りやめたアメリカ政府は、経済力と軍事力を背景にOPEC（石油輸出国機構）との間で、「今後は全世界の原油価格は独占的にドル建てでしか決定できない。また、ドルでしか取引もできない」という取り決めを結ぶ。今度はドルを石油の決済通貨に仕立てたのである。アメリカは「金本位制ドル」から「石油本位制ドル」に切り替え、ドルの基軸通貨としての価値を維持させたのだ。

それまでは、自国で保有する金をもってドルの裏付けとしてきた。その裏付けをいきなり「他国の産出資源」へと切り替えてしまったのである。貨幣の歴史の中でも最大級に横暴な行為であろう。

アメリカが仕掛けた日本の「バブル発生と崩壊」

その後のアメリカの動きは、リアルタイムのニュースで見聞きしてきた世代の方も多いのではないだろうか。

ドルの価値が下がりそうになると、ナチス派ハザールマフィアの私兵たちが暗躍して、産油国が集中する中東で内戦を起こし、原油価格を高騰させる。世界の治安維持を名目にアメリカ軍が出動して、戦争を起こす。軍事力によって圧倒した後、産油国の内政に干渉する。これが「中東戦争」である。

産油国を支配する目的は、原油価格のコントロールと、原油流通ルートの寡占である。金は歴史的に価値も安定しており、保有（もしくは保有をしているフリ）をしていればよいが、石油は値動きがある上に消費物である。ドルの価値を管理するのも、なかなか手間がかかるようになったのだ。

裏で産油国支配の指揮をしたのは、エネルギー資源マフィアのロックフェラー一族である。一族の当主であったデイヴィッド・ロックフェラーは、第1次オイルショックが起きた1973年に日米欧三極委員会を発足させて、産油国包囲網を敷いていく。ロックフェラー一族と連携して、世界でテロや戦争を引き起こしていったのはナチス派ハザールマフィアのブッシュ一族である（その悪辣なテロの手口については、章を改めて詳述する）。

このような手管で、ニクソンショックで打撃を受けていたドルの価値を何とか回復させた後、石油ドル体制をテロと戦争の「自転車操業」で継続させていくのである。

しかし、1980年代に入り、アメリカ経済はさらに混迷していく。

インフレ抑制のための高金利政策によりドル高となり、アメリカでは輸出が伸びずに貿易赤字が膨らんでゆく。貿易赤字と財政赤字の、いわゆる「双子の赤字」である。この苦しい赤字を乗り切るために何をしたかというと、国債を発行してドルを刷り続けたのだ。結果、米国債の債務残高は急上昇していき、ついにはアメリカ政府の存続を脅かすレベルに到達していた。

このとき、深刻な債務状況の打開策として目を付けたのが、アメリカの奴隷国家である日本だった。

当時の先進国＝G5（アメリカ、イギリス、フランス、西ドイツ、日本）を集め、アメリカは国際貿易で「対外不均衡」の被害を受けていると難癖をつけて、「協調的な」ドル安路線を計る合意を取り付けた。いわゆる1985年の「プラザ合意」である。アメリカ国内の高金利政策を続けながら（つまりインフレを回避しながら）、ドル高だけを抑えて貿易赤字を改善しようという離れ業である。

プラザ合意の標的とされたのが、対米貿易黒字が膨らんでいた日本である。強制的に円高に転換された日本は、輸出企業を破綻から守るために低金利政策を余儀なくされる。そして、株や土地へと資金流動が起こり、いわゆる「バブル」が引き起こされたのだ。

そして、ハザールマフィアはドル安体制の中で各国のドルを買い戻して、目論見どおり、ドルの破綻を回避したのだった。

その目的が達成されると、「ＢＩＳ規制」により日本の金融機関や企業の海外展開に規制をかけて、バブルを崩壊させた。

さらに、行きがけの駄賃とばかりに、軒並み破綻していく日本の金融機関や企業を、ハザールマフィアの下部組織であるハゲタカファンドが買い叩く。日本がその後、「失われた20年」あるいは「失われた30年」といった長期にわたる経済の低迷に苦しんでいるのは、皆さんご存知のとおりである。

その後、ハザールマフィアは、円に加えてドルを支える通貨＝ユーロを作り出すため、１９９３年にＥＵ（欧州連合）を発足させる。西へ東へ餌食を探して荒れ狂う、まさに手負いの猛獣である。

リーマンショックを起こした狂気の「金融ギャンブル」

自転車操業を続ける経済、石油支配のために膨張する軍事費、そして飽くなきハザールマフィアの金銭欲……。金食い虫と化したアメリカが向かった先は「金融ギャンブル」であった。もちろん、万に一つも負け越すことはないと踏んで始めた「イカサマ博打」である。

１９９９年11月12日、クリントン政権下において「グラム・リーチ・ブライリー法」が制定される。これは、かつて世界恐慌の引き金となった銀行と証券の兼業、いわゆる投資銀行を禁止する「グラス・スティーガル法」の効力を無効化するものである。かつて世界恐慌の一因となったとされる、投資銀行への反省を否定する法案であった。

２００１年に始まったブッシュ政権下でも無軌道な金融の規制緩和が進んでいく。

２００４年4月28日、政府機関であるＳＥＣ（アメリカ証券取引委員会）が、一切の報道機関を閉め出して、本部ビルの地下会議室で会議を開き、レバレッジ（自己資本を担保に他人資本を借りて金融活動を行うこと）の大幅な規制緩和を決定した。事実上、政府は投資銀行に対する管理責任を投げ出したのである。

大手を振ってギャンブルができる体制になった投資銀行は、各種デリバティブ商品を開発する。レートを極限まで上げたギャンブルの胴元を始めたのである。天文学的なレバレッジにより、ドルの流通量は実に実体経済の１００倍以上までに膨れ上がった。

最大限のレバレッジを使うヘッジファンドが人気を呼び、個人から企業までがその餌食となり、破産していった。そしてその果てに、２００８年にサブプライムローンが破綻、リーマンショックが引き起こされたのである。

２０１２年2月16日、イギリス上院議員、ロード・ブラックヒースによって巨額詐欺疑惑が告発された。

この巨額詐欺こそ、ハザールマフィアによる、リーマンショックを含む壮大なスキーム（計画）なのである。この計画はリーマンショック以前、２００５年には進められていた証拠が確認されている。その流れをまとめると以下のようになる。

①ＦＲＢ元議長であるアラン・グリーンスパンらを中心に、アジアの富豪から７００トンの金を5億ドルで購入する。
②その金に１０００倍のレバレッジをかけて75万トン分の金裏付け債権を発行する。
③その債券を担保にして23兆ドル分のドルの信用を裏付ける。
④ヘッジファンドを使ってリーマンショックを引き起こす。
⑤23兆ドル分のドルで、下落した企業株や金融商品などを買い叩き、世界の金融支配を強化する。

このような「イカサマ博打」によってリーマンショックが起こった結果、世界中が失業者で溢れることになった。ドルを取り巻く金融界は「狂った鉄火場」と化しているのだ。

「世界2位の保有国」中国が紙くず同然の米国債を売却

しかし、現在のところ、アメリカはいまだ巨大国家であり、世界経済に対するドルの影響力も多大なものがある。そのアメリカに唯一対抗できる国家が、中国である。そして、ドルに対抗するまでに国際通貨として力をつけてきているのが、人民元である。

21世紀に入り、中国は日本を抜いて米国債の最大保有国となった。その後、再び日本に抜かれたが、2019年7月末での保有高は1兆1100億ドルで世界第2位である。いわばアメリカ経済の首根っこをつかんでいる状態なのだ。

その中国が、ここ数年、米国債の保有量を如実に減らしつつある。そして、2018年1月10日、ついに米国債の購入停止を含む勧告を出した。

中国の政府高官らが米国債の購入を減らすか停止することを勧告したと、事情に詳しい関係

者が明らかにした。最新の米国債データによれば、世界第2位の経済大国、中国が保有する外国政府債のうち米国債が占める比率は約19％。各国の中央銀行が長期間に及ぶ債券購入を通じた刺激策から脱却し始めている兆候を手掛かりに、世界的に国債が値下がりしている。

（「ブルームバーグ」２０１8年1月11日付）

来たるアメリカ経済破綻の影響を最小限に抑えるために、紙くず同然の米国債を売りさばいているのだ。中国は２０１１年をピークに、右肩下がりに中国の米国債保有量を減らしている。中国が本腰を入れて、アメリカの経済的な支配から脱却し始めたのが、まさにこの時期である。

２０１１年といえば、アンチドルシステム（アンチハザールマフィア）勢力であるＢＲＩＣＳの首脳会議が中国・北京で行われた年である。欧米勢力の植民地支配の象徴でもあった南アフリカ共和国が初参加した、世界から注目された会議であった。

そしてこのＢＲＩＣＳを設立して裏から支えているのが、アジアの王族＝ドラゴンファミリーである。アメリカのドルシステム設立に際して、国際金融資本（ハザールマフィア）に金を貸し出し、ドルの裏付けに力を貸した勢力である。

なぜ、ドルシステムの融資元が、ドルシステムを脅かす流れを作り出したのか。それは、９・11テロ以降のナチス派ハザールマフィアの横暴と、アメリカ経済の末期的な状況に強い不安を覚えたために方向転換を行ったからだ。

かつて、中国共産党をバックアップして中華人民共和国を作らせたのも、このドラゴンファミリーである。長らく米中両サイドにまたがっていた重心を、中国サイドに移行したのである。

「AIIB」と「一帯一路」で中国が目指す野望

2013年、BRICSの拡大と歩みをそろえる形で、中国主導による国際開発金融機関のAIIB（アジアインフラ投資銀行）が発足した。その後、参加国数を増やし、2017年には早くもアメリカ支配下のADB（アジア開発銀行）を上回るようになる。

そうして、アメリカ大手格付機関であるムーディーズ・インベスターズ・サービスから、ガバナンス（統治）の枠組みがしっかりしていると評価され、最上位の格付け「Aaa（トリプルA）」を取得するまでに成長している。

AIIBの中心的な目的は、中国の習近平総書記によって提唱された、中国を中心とする経済圏構想「一帯一路」の金融面でのバックアップである。

ＢＲＩＣＳでは「政治」、ＡＩＩＢでは「金融」、そして一帯一路では「通商」において、ドル（アメリカ）を排除する大きな流れが生まれたのである。

読者の中には、それでもアジアの経済力では欧米に敵わないのでは、と感じられる方もいるかもしれない。しかし、欧米勢力が経済的にアジアを凌駕していた時代はすでに終わっている。

実際の経済力を反映する購買力平価（モノの値段を基準にした通貨の交換比率）をベースに算出したＧＤＰで見ると、アメリカ、ヨーロッパ、ロシア、日本を合わせても世界全体の40％に満たない。しかし、ＡＩＩＢ加盟国のＧＤＰをトータルすると80％近くを占めるのである。

世界経済の中心は、すでに欧米からアジアへとシフトしているのである。

このような流れを受けて、２０１６年10月1日、ＩＭＦ（国際通貨基金）は、人民元を特別引き出し権（ＳＤＲ）構成通貨と認定した。すでにＳＤＲに採用されていたドル、ユーロ、円、ポンドと並び人民元も国際通貨に認められたのだ。欧米側も、ついに人民元の力を無視できなくなったのである。

中国の目標は、人民元をＡＩＩＢ管轄エリアの基軸通貨にすることである。そしてその先に、人民元を世界の基軸通貨にする未来を描いている。

中国は、その国際基軸通貨・人民元への大きな一歩を踏み出した。２０１８年3月26日、「人民元建ての原油先物の上場」が開始されたのだ。

中国は人民元建ての原油先物を3月26日に上場する。中国証券監督管理委員会（証監会）が9日に発表した。中国は米国を上回る世界最大の原油輸入国で、自国の需要動向を国際価格に反映させることをめざす。中国の先物市場として初めて外国人の参加も認める。（略）

米エネルギー情報局（ＥＩＡ）などによると中国の２０１７年の原油輸入量は日量８４０万バレルで、７９０万バレルの米国を初めて上回った。中国は最大の原油輸入国になったのに、欧米主導で国際価格が決まることに強い不満を抱いてきた。原油先物を自国に上場することで既存の価格形成のあり方に一石を投じる。

（「日本経済新聞」インターネット版　２０１８年２月９日付）

香港や上海の取引所では人民元を金と交換することも可能である。すでにベネズエラやイラン、ロシアなど、多くの産油国が「金本位制の人民元建て原油先物取引」に応じる方向で動いている。

今後、石油ドル体制を支えてきたサウジアラビアをはじめとする湾岸協力会議（ＧＣＣ）加盟国が追随すれば、国際基軸通貨が「石油本位制の米ドル」から「金本位制の中国人民元」へと置き換わるのも時間の問題である。

「米中貿易戦争」と中国経済の不安材料

中国の急激な経済成長と、一連のアメリカ外しを意図する動きに対して、当初からアメリカはヒステリックな反応を見せていた。

ドナルド・トランプ大統領は、大統領選挙期間中から、「中国は経済面でアメリカをレイプしている」「為替操作国だ」などと中国を非難し続けた。

アメリカ側の主張は、中国はアメリカに不公正な貿易慣行を押し付けており、アメリカ企業の知的財産権を侵害しているばかりか、助成金や補助金などで中国の国内企業を不当に優遇しているというものだった。

アメリカは貿易不均等の是正を求めたが、中国の対米黒字は2018年度には3233億ドル（約35兆円）となり、過去最大を更新する。

2018年7月、堪忍袋の緒を切らしたトランプは、中国から輸入される340億ドル相当の818品目に対して25％の追加関税の適用を発動する。これが中国に対する関税措置の第1弾となった。

これに対して中国も同規模の報復関税を発動し、「アメリカは世界貿易機関（ＷＴＯ）のルールを破って、経済史上最大の貿易戦争を仕掛けた」と強く非難した。

その後、アメリカは第2弾、第3弾と中国製品に対する関税措置を発動。貿易摩擦の緊張が高まる中、２０１８年12月1日に北京で行われた米中首脳会談の結果、税率の引き上げは延期されることになった。これで米中貿易戦争はなんらかの着地点を迎えると期待された。

しかし、２０１９年5月、中国は突如、これまでの貿易交渉を白紙に戻すような修正案をアメリカに突き付ける。これに反発したトランプは、中国への関税措置の第4弾として、３０００億ドル相当の中国製品に最大25％の関税を課す計画を表明した。

この関税措置に対して中国もすぐに反応し、６００億ドル相当のアメリカ製品に最大25％に引き上げる報復関税を発表する。中国はアメリカの圧力には屈しないことを表明するとともに、「貿易衝突を煽り、挑発して、貿易戦争にしたのはアメリカ側だ」と主張した。

さらに、中国外務省はそれまで「貿易摩擦」という言葉でアメリカとの貿易問題を表現してきたが、このとき初めて「貿易戦争」という言葉を使うようになり、米中は本格的に貿易戦争に突入していった。

激化する米中貿易戦争による世界経済への深刻な影響が懸念される中、２０１９年12月15日、米中で貿易交渉での第1段階の合意に達し、アメリカは引き上げをしていた関税の一部引き下げを発表する。泥沼化した貿易戦争も小休止に入ることになった。

じつはトランプは、このまま米中貿易戦争を激化させてもアメリカに勝ち目がないということが分かっていた。

制裁と報復を繰り返し、強がっているが、それはアメリカ大統領再選を意識した、アメリカ国民に対するポーズにすぎない。何よりも米中貿易戦争が激化して一番困るのはアメリカ国民なのである。

アメリカは中国からの総輸入の約50％にあたる計２５００億ドル相当の品目に追加関税を課したが、その輸入の総額は中国の輸出全体から見ると、たったの８％にすぎない。つまり、アメリカが中国からの輸入をすべて止めたとしても、中国からすれば、アメリカ以外の国に自国製品を売っているので、さして困らないということだ。

それに対してアメリカにとっての中国は、輸入総額の約20％を占める最大の輸入相手国である。もしも中国からの輸入品すべてに追加関税が発動されれば、アメリカの輸入品全体の約20％に追加関税が課せられるということである。単純に考えて、輸入品の約20％が値上がりすることになる。アメリカの店頭に並ぶ商品も一気に値上がりするだろう。

それならば、アメリカ産のものだけを買えばいいと思うかもしれない。しかし、例えばパソコン一つをとっても、その部品にはアメリカで作られているものは少なく、中国や他の国で作られたものを使用している。そもそもパソコン自体もアメリカで組み立てられているものは少ない。農作物以外で純粋にアメリカ産だというものを探すこと自体、難しいのだ。したがって最大の輸入相手国である中国に対して、すべての輸入品に関税を強化すれば、その他の製品にも影響を及ぼすことはどうしても避けられない。

アメリカ金融大手ＪＰモルガン・チェースが「追加関税の影響からアメリカの一般家庭において年間で１０００ドル以上も出費が増えた」と試算するほどだ。

つまり、トランプ政権が高率の関税を課すことによって一番困るのは、中国の輸出業ではなく、アメリカ国民だということである。

このように米中貿易戦争でのアメリカの敗北は目に見えている。トランプがどんなに追加関税をかけると息巻いても、結局はアメリカの国民を苦しめるだけだからだ。それでもトランプ政権が貿易戦争をやめようとしないのは、経済における覇権をめぐる戦いがあるからに他ならない。

しかし、中国も今回の貿易戦争でアメリカへの対決姿勢を鮮明にした。実は購買力平価を基準にしたＧＤＰで比較すると、２０１４年ごろから中国はすでにアメリカを追い抜いており、２０２０年には中国のＧＤＰが30兆ドルに迫る勢いなのに対して、アメリカのＧＤＰは22兆ドルほどだとされる。つまり、その国の経済の大きさを表すＧＤＰを見ても、中国はすでにアメリカを越えているのだ。

しかしながら、ハザールマフィアの支配下にあるアメリカと日本のマスコミは、いまだに「アメリカ経済は中国経済よりもまだまだ大きいので、アメリカの方が立場は強い」という論調で嘘を垂れ流している。その嘘にだまされていては、今後の世界情勢を見極めるのが難しくなる。そこで、中国への世界経済覇権の移行が日本へ与える影響について考えてみよう。

日本は、地理的にいえば、一帯一路という人類史上最大のプロジェクトの恩恵を大いに受けられるポジションにある。今後、朝鮮半島の南北問題が解決すれば、中国、ロシア、朝鮮半島、さらに日本まで海底トンネルが通じる可能性が生まれる。そうなれば巨大なインフラ整備で、日本の建設・土木業界などに大量の人民元が流れ込み、不景気を一掃する契機となるだろう。

中国アレルギーの強い日本の世論の中には、いまだ「人民元は偽札が横行する信用度の低い通貨」といった声も聞かれるが、それはすべて「ドル本位制カルト」に刷り込まれた偽のイメージである。この先の世界の流れを根本的に見誤り、世界の片隅に追いやられないためには、しっかりと自分たちの目で、現実の中国の力を見つめる必要があるのだ。

しかし、中国経済にもまったく懸念がないとは言い切れない。2007年以降、GDPの伸び率は徐々に減少に向かっているのだ。

これは、かつてソ連がぶつかったのと同じ壁である。長期にわたる大量の設備投資によって、ソ連は高度経済成長へと向かった。しかし、市場がすでに飽和状態であるにもかかわらず、新たな工場を次々と建設し続けた結果、「倉庫に在庫を積み上げているだけ」という状況が生まれ、最終的にＧＤＰの伸び率はマイナス圏内に陥ってしまった。

現在の中国も、それと同じ道をたどっているように見受けられる。今後、人民元が世界の基軸通貨になり、中国の経済覇権が現実となるには、まだクリアにされるべき問題が数多くあるのだ。

新たなる貨幣「仮想通貨」は信用できるのか

ドルの歴史、そして、その国際基軸通貨の地位を狙う人民元について語ってきた。ここからは、この数年、マスコミで取り上げられ、世間を騒がしている「仮想通貨」について語ろう。

初めに結論を述べてしまうが、仮想通貨という新たな通貨に対する私の見解は、期待と懸念の相対する二つのベクトルを含んでいる。

まずは「期待」について語ろう。

私が仮想通貨に最も魅力を感じる点は、その取引における「透明性」である。これは仮想通貨を成り立たせている技術、「ブロックチェーン」によるものだ。

利用者は、「P2P型ネットワーク」と呼ばれる分散型ネットワークを使って、コンピューター同士による直接通信を行い、取引内容をメンバー全員に向けて同時に通知する。つまりネット上で誰もが帳簿を見られる同時に、データの正しさも検証することができるシステムなのだ。ブロックチェーンの和訳「分散型台帳技術」のニュアンスの方が、金融取引の記録が全員に「目に見える形で残され」「改ざんがしにくい」という、その特質をとらえやすいかもしれない。

なぜ「透明性」が魅力的なのか。

それは現在の銀行システムには存在しないものだからである。銀行は個人や企業の金融取引データを把握しているが、私たちはその帳簿を見ることができない。すべての金融取引が、ブラックボックスの中で行われる。

現在、私たちが日常生活で銀行を利用せずに生きていくのは、ほぼ不可能である。

例えば、あなたが勤めている会社に「給料は銀行振込でなく手渡しにしてほしい」と言えるだろうか。住宅を購入したいと思ったときに、いずれかの金融機関でローンを組まずに買うことができるだろうか。そして、その銀行（およびその上部に位置する中央銀行）は、ハザールマフィアの支配下にあることは再三述べてきたとおりである。彼らは銀行を通じて世界中の金

融資産の把握や個人情報の収集など、私たちを中央集権的に管理支配しているのだ
一方で仮想通貨を使えば、銀行というブラックボックスを通さずに取引が行える。一般的に仮想通貨は、送金の利便性や手数料の安さ、世界中で使える点などがメリットに挙げられるが、最も評価すべきは、銀行による管理支配から脱却できる可能性を秘めた点であろう。近代の金融の歴史において、これは画期的なことなのである。

しかし「21世紀最大の発明」とも称される仮想通貨だが、その価値に不安を覚える声もある。理由としてよく耳にするのが、「デジタルである仮想通貨をどうしても信用できない」といったものだ。普段使っている「お金」には、紙幣や硬貨といった手に取って触れることのできる実物があり、さらに政府や中央銀行がその価値を保証している。

一方、仮想通貨は単なるデジタルの数字の羅列であり、何ら権威ある機関の保証もない、というわけである。

それでは、私たちが日常生活で使っている「お金」に本当に保証があるのだろうか。世界の歴史において、通貨の価値を裏付けていた政府や中央銀行は数多く崩壊してきた。

私の知人は、1988年に起きたアルゼンチンのハイパーインフレーションを体験している。年率5000倍に及ぶ、想像を絶したインフレである。家の購入価格だった金額が数年後にはタバコ1箱の金額に。タンス預金は紙くず同然に。取り付け騒ぎの後、やっと預金を引き出し

たら銀行口座には元の20分の1しか入っていなかった……。これが、私たちと同じく「お金」の価値を信じて暮らしてきた人間に起こった現実である。

世界を見渡せば、通貨の価値の崩壊や銀行が破綻した史実で溢れている。ここ数十年、日本でそういった現実がたまたま起こっていないだけなのだ。

通貨システムとは、本来そのようなリスクをはらんだ代物である。100ドル札も1万円札も、それ自体はただの紙切れである。銀行口座の残額や株も、コンピューターに記録されたただの数値データである。そこには本来何の価値もない。人々の「共同幻想」が、そこにかりその価値を与えているにすぎないのだ。

そもそも、すべての通貨というものは、幻想や仮想の上に成立している。それらを踏まえた上で、私は仮想通貨の持つ新たな可能性について期待を寄せているのだ。

国家権力が企てる「仮想通貨」のコントロール

次に「懸念」の方の話をしよう。

世界の中央銀行はすでに早い段階から、仮想通貨のシステムに強い関心を示している。そして、そのシルテムを利用した「法定デジタル通貨」の開発を進めている。

今、「法定デジタル通貨」という言葉を使った。なぜ「法定仮想通貨」といわないのかといえば、仮想通貨の定義には「中央銀行などの公的な発行主体や管理者が存在しない」といった性質が含まれているからだ。「法定仮想通貨」や「国が運営する仮想通貨」という言葉は語義矛盾をはらんでしまうのだ。本書でも、公的機関が管理する「ブロックチェーンを利用した通貨」のことは「法定デジタル通貨」と呼び分けることにする。

世界各国の中央銀行は、１９９０年代からすでに貨幣のデジタル化＝電子マネー開発に力を入れており、システム化も進めてきた。そして、その電子マネーシステムは、同じデジタル通貨である仮想通貨と高い親和性を持っている。世界の多くの政府は、国家権力下にコントロールできるものであれば、という条件付きで、仮想通貨のシステムを取り込もうと模索している。

法定デジタル通貨の開発は、カナダ、シンガポール、スウェーデンが先行していたが、アメリカ、イギリス、オランダ、日本も追い上げている。

だが、法定デジタル通貨の一番乗りになりそうなのは、中国である。

ご存知のとおり、もともと中国は仮想通貨大国である。２０１７年に当局が仮想通貨取引所に対する規制を始めるまでは、世界の93％の仮想通貨取引所が中国にあり、仮想通貨との交換通貨の実に94％を人民元が占めるという、驚異的な寡占状態だった。

さらに仮想通貨の生命装置ともいえる、ブロックチェーンを繋げて情報体系を維持する「プルーフ・オブ・ワーク」と、その作業の対価として仮想通貨が支払われる「マイニング」というシステムもまた、シェアの67％を中国が占めていた。マイニング専用の大型コンピューターを設備して24時間作業する「マイニングファーム」と呼ばれる工場を、発電所のすぐ近くに多数作り上げる徹底ぶりであった。マイニングについて中国当局は規制の可能性を発表したが、２０１９年12月の時点においてシェアは特段変化していない。

中国が仮想通貨の取引を禁止した、といった記事もあるが、正確には中国当局が停止命令を出したのは、仮想通貨と人民元の交換である。仮想通貨と他の外貨との交換は認めている。

中国は、国内の仮想通貨の流れそのものを潰す気はない。目指しているのは、公定デジタル通貨「デジタル人民元」の立ち上げである。「金本位制の人民元建て原油先物取引」の流れを見るに、それは「金本位制デジタル人民元」となる可能性が高い。

仮想通貨に対して中国当局は三つの点を警戒していると思われる。一つ目は、仮想通貨の流通による海外への人民元流出である。二つ目は、西欧諸国側のＡＩ（人工頭脳）によって仮想通貨取引が乗っ取られること。三つ目は、（詳しくは後の章で詳述するが）バックドアと呼ばれる、全世界のコンピューターにハザールマフィアによって仕込まれた「欠陥」である。

人民元の流出を抑え、実態のある「金」とリンクさせて、データである仮想通貨の脆弱さを補完する。そのための「金本位制デジタル人民元」を考えているのだ。

どうやら仮想通貨の世界でも、中国は欧米をリードしようとしているようだ。

それに危機意識を抱いているアメリカ軍やロシア政府、日本の財界なども また、水面下で「金本位制デジタル通貨」の立ち上げを進めているという情報も入って来ている。

「仮想通貨NEM流出」真犯人の正体

仮想通貨の話題で世間を騒然とさせたのが、2018年1月に起こった「NEM流出事件」であろう。日本の仮想通貨取引所「Coincheck」のシステムがハッキングされ、580億円相当の仮想通貨NEMが不正流出した事件である。

さまざまな憶測が飛び交いながらも犯人不明のまま、同年3月に入り、そのうちの約8億円分が、別の日本の仮想通貨取引所「Zaif」に流入していることも判明した。また同年3月8日、金融庁は「Coincheck」を運営するコインチェック他、仮想通貨交換業者7社を一斉に行政処分すると発表、そのうち2社に業務停止命令が下った。

２０１９年12月、警視庁は流出したＮＥＭの一部について、別の仮想通貨との交換に応じていた複数の男性を特定し、関係先を捜索した。警視庁は男性らの立件を検討するとともに、流出そのものに関わった人物を特定する捜査を引き続き進めている。

犯人については、当初、「北朝鮮のサイバー部隊の仕業ではないか」との説も浮上したが、ＣＩＡ内部のハザールマフィア残党か、ＮＳＡ（アメリカ国家安全保障局）の上層部が関与している可能性もある。その2者のどちらかが裏から実行犯を操り、北朝鮮の仕業であるような印象操作をしたのではないだろうか。

私がそう感じるのは、先に述べた世界的な「法定デジタル通貨」への流れと関係がある。法的デジタル通貨が進めば、当然、従来の仮想通貨との軋轢が起こると予想される。いまだ中央銀行に支配力を持つ国際金融資本（ハザールマフィア）が、意図的に仮想通貨の信用不安を作り出して、法定デジタル通貨への期待を高め、同時に仮想通貨取引への管理体制を強化しようと画策しているのだ。

それを裏付けるように、欧米の旧体制である国際金融資本は、仮想通貨の台頭に対して否定的な発言を続けている。

２０１８年2月6日、中央銀行の中の中央銀行であるＢＩＳの総責任者、アグスティン・カルステンスが講演の中で「仮想通貨が金融システムと密接につながることは、財政の安定に対する脅威になりうえる。通貨として偽装された私的なデジタルトークンが、中央銀行の公的な信頼を覆すものであってはならない」と各国当局に呼び掛けた。

ＢＩＳは過去にも「仮想通貨の本源的価値はゼロである」「その価値は、将来的にモノや法定通貨に交換できる信頼にのみ由来する」との報告書も出しており、仮想通貨には一貫してネガティブキャンペーンを張っている。そして同時に、ＢＩＳの下部組織である各国の中央銀行は、仮想通貨システムの換骨奪胎を狙っているのである。

日本でも「改正資金決済法」によりすでに仮想通貨への法規制が進んでいる。仮想通貨取引所を登録制とする業務規則が徹底され、金融庁の監督が義務付けられた。また、利用者も本人確認が必須となり、実質的に仮想通貨の匿名性は失われた。

法定デジタル通貨では、ブロックチェーン自体を中央銀行が管理することになる。当然、個人や法人の支払い履歴を含むすべての取引記録を見ることができるようになる。また、仮想通貨取引所のデータも、金融庁管理となる可能性もある。

今後、そのような流れの中で、仮想通貨が本来持つ「透明性」と、中央集権的なシステムからの「自由」がどこまで保たれるのか。この新たな通貨の歴史は始まったばかりだ。その真価が問われるのは、まだまだこれからである。

第5章
欧州、中東、アジア、全世界で進行する「脱アメリカ」

孤立するアメリカと再統合される世界

ロシアの中東進出は「ソ連崩壊時の復讐」

前章では、人民元建ての原油先物の上場にも触れた。世界各国が石油ドル体制に見切りをつけている背景には、中東諸国におけるアメリカの影響力の低下がある。

アメリカの失墜に反比例して、中東で頭角を現しているのが、ＢＲＩＣＳをベースに中国と対米政策の足並みをそろえているロシアだ。

ロシアとそのバックに付いているロシア正教会は、軍事力とエネルギー資源の豊かさを武器に、ＥＵ諸国および中東諸国に対する影響力を急速に拡大している。

ロシアが、中東諸国に食い込む理由には、国益の他に、実はもう一つの側面がある。

１９９１年のソ連崩壊時、ロシアはハザールマフィアによって実質的に支配されていた。ハザールマフィアはソ連を崩壊に導いた後、その国家資産を徹底的に収奪したのだ。

そんな中、ソ連時代の共産主義政権下で弾圧されていたロシア正教会が息を吹き返し、ロシア人の窮状を救うべく立ち上がる。そしてロシア正教会は、ウラジーミル・プーチンの後ろ盾になることで、ロシアの立て直しを図った。

正教会をバックに付けたプーチンは大統領就任後、旧ＫＧＢ（連邦国家保安委員会）を再結集させて、パパ・ブッシュの手先となったロシア系ハザールマフィアたちを数百人単位で逮捕拘留、または暗殺した。しかし、その程度で、かつてロシア正教会とロシア人が味わった苦渋の記憶が薄れるわけもない。

ロシアが中東諸国に進出する理由には、ハザールマフィアに対する経済的復讐の意味合いもあるのである。

石油利権の当事者である中東諸国の中にも、アメリカを離れてロシアへと接近する国が増えている。

例えば、ＮＡＴＯ（北大西洋条約機構）の中でアメリカに次ぐ軍事力を誇るトルコだが、２０１７年11月13日、ロシアの地対空ミサイルＳ４００を購入したことを発表した。これはアメリカとの同盟関係を断ち切る宣言だといえる。

また、２０１７年12月にイランで発生した大規模な反政府デモに関して、トルコでは大手メディアや政府高官による「ＣＩＡのマイケル・ダンドレアという工作員が、暴力的な抗議活動を指揮してデモを煽っていた」との告発が相次いでいる。こちらも、以前のアメリカとトルコの関係では考えられない動きである。

現在のところ、中東の石油利権の縄張り争いは、ロシア有利に傾きつつある。

ロシアはすでにアメリカ軍との間で「中近東地域の石油利権の約半分を確保する」との協定を結んだとされる。つまり利権を公平に山分けしたのだ。

また、アメリカの軍産複合体とその大スポンサーである石油会社が間に入り、「第一次世界大戦後に分割された国々の国境を新たに引き直して、ユーフラテス川を境に西側をロシア、東側をアメリカの影響圏にする」という線引き案も進められている。ロシアは中東を舞台としてハザールマフィアへの復讐を着々と実行しているのだ。

プーチンが中東問題で欧米に「勝利宣言」

そのような情勢を背景に、2017年11月、ロシアのソチで開かれたロシア、イラン、トルコの3カ国首脳会談において、プーチン大統領は、「シリアでの国際テロ組織に対する大規模な軍事行動は終わりつつある。ロシア、イラン、トルコの尽力によりシリアの崩壊を防ぐこと、シリアがテロ組織に奪われるのを防ぐこと、人道的大惨事を避けることに成功した」と語った。

そして翌12月には、シリアからのロシア軍の一部撤退開始を発表した。

中東問題における、欧米勢力に対する勝利宣言と見てもよいだろう。

さらに会談において、欧米勢力を牽制すべく、ロシア軍高官は自国の軍事力をアピールし、プーチン大統領もさらなる軍事産業の強化の方向性を示した。

ロシア軍は、超音速ミサイル「ツィルコン」や「海底をベースとする」弾道ミサイル「スキーフ」といった最新の装備や武器を持っている。（連邦会議）防衛・安全保障委員会の委員長ビクトル・ボンダレフ氏が、記者団に伝えた。（中略）「スキーフ」ミサイルは、海底に長時間にわたってスタンバイ状態で待機し、命令に従って陸や海の標的を粉砕することができる。（中略）

プーチン大統領によると、必要な時に防衛製品の生産を迅速に増加させる経済力は、国の軍事的安全保障の最も重要な条件の一つ。さらに軍産複合体に関する会合で9月に行われた軍事演習について議論された時、「すべての戦略的企業ならびに普通の大手企業は、その所有の形態に関わらず、これに向けて準備を整えておかなければならない」と述べた。

（「スプートニク」　2017年11月23日付）

「欧米の旧体制支配が続くならばロシアは戦争も辞さない」というプーチンの強いメッセージがうかがえる。

2018年に入り、ロシアは新開発のパイプラインを開通させ、中国への原油輸出能力を倍増させた。人民元、ルーブル、金などによる取引がさらに拡大することになり、原油取引からの「ドル＝アメリカ外し」が進められているのだ。

さらに、2018年2月、ロシアのアルカジー・ドヴォルコーヴィチ副首相は「ロシアはSWIFTにアクセスしなくとも生き残る準備はできている」と発言した。

SWIFT（国際銀行間金融通信協会）とは、西側の欧米諸国主導で運営されている「ドルベースの銀行間決済ネットワーク」のことである。欧米勢力は事あるごとに、「SWIFTへのアクセスを遮断して、国際金融ネットワークから締め出す」と世界の国々を脅してきた過去がある。

CIA筋からの情報によれば、ロシアは非公式ながら「もしロシアがSWIFTから撤退すれば、一斉に12カ国以上が同調する」とさらなる通告をしているという。

そして2020年現在、ロシア、中国、インドが独自に開発を行うSWIFTの代替となる決済ネットワークに、ブロックチェーン技術が利用されるのではないかと注目が集まっている。欧米に対抗する3カ国が協力して、いわば「ユーラシア」版国際決済ネットワークの構築を進めているのだ。

プーチン大統領率いるロシアは、ドルシステムに徹底抗戦することにより、ハザールマフィアが巣食う欧米の国際金融機関に対しても一歩も引かない姿勢を示している。

「ハザールマフィア傀儡国家」イスラエルが内部崩壊

長らくハザールマフィアの傀儡国家であり、従来アメリカと緊密な関係にあったはずのイスラエルだが、世界的なハザールマフィアの衰退から、内部崩壊を起こしつつある。イスラエル政府や国民が、旧体制権力者らの傀儡であるベンヤミン・ネタニヤフ首相を、その権力の座から引きずり降ろそうとしているのだ。

近年、イスラエル検察当局はネタニヤフに対して、贈収賄、汚職、詐欺、信義誠実原則違反といったさまざまな容疑で捜査を続けきた。そして、２０１９年11月、検察当局はネタニヤフをついに起訴したのだ。

イスラエル検察は21日、汚職疑惑を抱えるネタニヤフ首相を収賄罪などで起訴したと発表した。現職首相の起訴は同国で初めて。疑惑を否定するネタニヤフ氏は首相辞任を拒否し、裁判

で争うもよう。（中略）

検察は収賄や背任などの罪で起訴する見通しだ。ネタニヤフ氏を巡っては、実業家からシャンパンや葉巻など高額な贈り物を受け取り、特別な計らいをした疑いがある。有力紙に対しては経営上の便宜を図る見返りに、自身に好意的な報道をするよう求めたとされる。

（「日本経済新聞」インターネット版　２０１９年11月22日）

一国の首相でありながら、疑惑のオンパレードである。さらにネタニヤフの妻、サラ・ネタニヤフも２０１９年６月、公金の不正使用で有罪判決が下され、罰金刑が科されている。これらの動きは、長年にわたってハザールマフィアの奴隷にされてきた一般ユダヤ人が覚醒し、イスラエルの国内外で、ネタニヤフのようなハザールマフィアの手先を権力の座から追い出そうと声を上げた結果だといえよう。

アメリカのトランプ大統領が２０２０年の大統領選に関して、「民主党に投票する者はイスラエルとユダヤ人に対して非常に不誠実だ」と発言して物議をかもした。

大手調査会社ギャラップが実施した２０１８年の世論調査によると、ユダヤ系アメリカ人のうち、わずか26％しかトランプを支持しておらず、大半の71％は不支持を表明している。この数字を見ても、ユダヤ系アメリカ人と、トランプ政権が支持するイスラエルのネタニヤフ政権

起訴によって暴かれる
イスラエルのネタニヤフ首相の悪行

イスラエルを訪問したトランプ大統領と握手するネタニヤフ首相。ネタニヤフの起訴はイスラエルの国民や軍部から圧倒的な支持を受けており、有罪となると予想されている。ペンタゴン筋によれば、ネタニヤフは日本人の資産を奪うために脅迫として行った「3.11テロ（東日本大震災）」の黒幕の一人であり、今回の起訴を通じてそのテロの真相が明らかになる可能性も出てきた。

（出所）Wikipedia より

との間の大きな亀裂が読み取れる。現在のイスラエルを支持するユダヤ系アメリカ人が減ってきているのだ。

ペンタゴン筋によると、かりにネタニヤフが権力の座にしがみつこうとしても、アメリカ軍やロシア、トルコ、イランが圧力をかけて、イスラエルそのものをハザールマフィアの支配から解放するだろうという。

それどころか、アメリカ軍と諜報当局は、イスラエルとシオニスト過激派との最終決戦に向けても動きだしている模様で、アメリカ系ユダヤ人と称する悪魔崇拝のハザールマフィア勢をロシア極東にあるユダヤ人地区に強制送還する予定があるという。

もちろん、ハザールマフィアもこの動きに対して死に物狂いで抵抗しているため、強制送還を実行するのは簡単なことではないだろうが、ハザールマフィアとの最終決着が近い現在、あながち実現不可能なことではないように見える。

いずれにせよ､イスラエルはアメリカ軍の支援がなければ存続することができない。しかし、アメリカ軍の中で良心派が台頭してきたことで、イスラエルは今、アメリカ軍に見捨てられようとしている。２０１９年10月3日、イスラエルの元陸軍長官ヤイル・ゴランが「世紀末思想を持つイスラエル国内の急進派が１９３０年代のナチスドイツのようにふるまう恐れがある」と発言したが、これもイスラエルの混乱ぶりを表しているといえよう。

アメリカの挑発に乗らず戦争を回避するイラン

現在、アメリカはロシア、ベネズエラ、イランなどに制裁や攻撃を続けている。石油利権を独占したいハザールマフィアが、ベネズエラやイランに対しては石油などのエネルギー資源を奪うため、石油利権の商売敵ロシアに対しては販路を潰すため、アメリカを使って攻撃させているのだ。

第2章でも触れたが、ハザールマフィアに操られたアメリカ政府やアメリカ軍は、特にイランへの制裁や攻撃を強め、両国の関係は悪化の一途をたどっている。緊張を深めるアメリカ対イランの一連の動きを見てみよう。

2019年6月12日、日本の安倍晋三首相がイランを訪問し、イランとアメリカの緊張緩和や関係改善の仲介役として、最高指導者アリ・ハメネイ師と会談を行なった。しかし、安倍首相がトランプ大統領のメッセージを伝言しようとすると、イラン政府は「トランプ大統領と交渉するつもりはない」と拒絶。さらに訪問中の13日、安倍首相の仲裁をあざ笑うかのようにイラン沖合のオマーン湾で日本企業の石油タンカーなど2隻が攻撃を受ける事件が発生した。

じつは、この事件が起きる前からイランは激しい攻撃を受けていた。6月5日にイラン最大のコンテナターミナルであるシャヒド・ラジャイ港で大規模な爆発が発生し、石油貯蔵施設が炎上した。また、その2日後の6月7日にはイランの貨物船6隻が「何者かが仕掛けた発火装置」によって、連続して放火されている。しかし、これらの事件に対してイランはアメリカの工作だなどと非難することはなく、報復攻撃も一切しなかった。

そこで、肩透かしを食らったアメリカは、安倍首相の訪問を利用して日本企業の石油タンカーを攻撃し、日本を巻き込む形でイランの仕業に見せかける工作をした。そして、再度、イランとの緊張を高めようと企てたのだ。だが、アメリカが「イランが日本企業の石油タンカーを攻撃した」と非難しても、国際世論はアメリカに同調しなかった。

このように、度重なる挑発に乗ろうとしないイランに対して、アメリカは、無人偵察機によってイラン領空を侵犯した。イランはこれをただちに撃墜し、「無人偵察機とは別に35人が乗っていたと見られるアメリカの哨戒機も領空を侵犯したが、無人偵察機を撃墜することで警告にとどめ、哨戒機に対する攻撃は思いとどまった」と6月20日に公式に発表した。

これに対して、アメリカは無人偵察機が飛行していたのはイラン領空ではなく、国際空域だったと主張してイランを激しく非難した。この時点で、アメリカは、「自国の無人偵察機が撃墜された」ことを大義名分として、イランを攻撃することも可能となった。

ペンタゴンの情報筋によると、このとき、ハザールマフィアに脅迫されたトランプは実際にイランへの大規模攻撃をアメリカ軍に命じたのだという。

しかし、アメリカ軍がその命令に従わなかった。「大量の犠牲者が出る」と、アメリカ軍の良心派で構成された上層部がトランプを説得したのだ。トランプも承諾せざるを得なくなり、記者団の前で「無責任で愚かなイランの誰かが間違って起こしたものだろう」として、今回の事件を重大視しないことを表明することになった。

ペンタゴンの情報筋によると、撃墜された無人偵察機近くを飛行していたアメリカ軍の哨戒機については、アメリカ軍の良心派がイラン軍にその飛行目的を前もって連絡していようだ。

哨戒機とは海の中に潜っている潜水艦を見つけて攻撃する軍用機のことだが、このとき、アメリカ軍の哨戒機はオマーン湾とホルムズ海峡に潜航中のイスラエルの潜水艦を追っていたのだ。詳細は後述するが、イスラエルのベンヤミン・ネタニヤフ首相は、「第三次世界大戦」を引き起こしたいと思っているハザールマフィアの過激派である。イランとの戦争に持ち込んで大戦を勃発させる工作を幾度となく行なってきた。そのために、アメリカ軍はイランの近海に潜航するイスラエルの潜水艦の動きに注意を払っていたのだ。

だからこそ、アメリカ軍から哨戒機の飛行目的を前もって知らされていたイラン軍は、領空侵犯をした無人偵察機を撃墜しても、哨戒機に攻撃をしなかったのだ。

このように、アメリカ軍とイラン軍の良心派は、ハザールマフィアに操られたアメリカによる度重なる挑発に乗らないよう、秘かに連絡を取り合っている。もちろん、アメリカ軍やイラン軍の中にもハザールマフィアの考えに同調し、戦争を起こしたいと考えている者も多くいる。しかし、良心派が寸前のところで戦争勃発を食い止めているのが現在の状況だ。

それゆえに、２０１９年９月14日に発生したサウジアラビア石油施設攻撃においても、アメリカがイランの仕業だと主張したが、イランはその挑発には乗らなかった。さらに10月11日、サウジアラビア沖でイラン船籍の石油タンカーが何者からに攻撃を受けて爆発、炎上した事件でも、イラン政府は「外国政府が関与している」と述べるにとどめ、それ以上の言及を避けている。

２０２０年1月3日、アメリカがイランの革命防衛隊司令官カセム・ソレイマニをドローン攻撃で殺害する。アメリカはイランの国民的英雄を暗殺するという、かつてない挑発に出たのだ。イラン国内で反米感情が一気に高まりを見せ、同月8日、イランがイラクの米軍駐留基地にミサイル攻撃、一触即発の危機となる。

しかし、アメリカ軍とイラン軍の良心派の働きによって、イランは攻撃計画を事前にイラクに知らせており、またイランの攻撃が限定的で、人的被害も小さかったことを受け、トランプも軍事的な報復ではなく経済制裁で対応する方針を表明した。

両国の面子を保ちながら、報復の連鎖が全面衝突につながるという最悪の事態は、いったん回避されている（２０２０年１月末、ソレイマニ司令官暗殺を計画したＣＩＡ幹部の乗った飛行機がアフガニスタン上空で撃墜され、搭乗員全員が死亡した、との情報が私の元に入ってきた。司令官暗殺の問題についてはアメリカ軍内部でもかなり紛糾しているようだ）。

イランは、ハザールマフィアの挑発に乗っても相手の利益になるだけで自分たちには何の得にもならないことを知っているのだろう。イランの最高指導者ハメネイ師は「アメリカに抵抗はするが、戦争はしない」と述べている。戦争を口実に利益を企てるハザールマフィアの手口はすでに見透かされているのだ。

アメリカの盟友カナダが「脱アメリカ」を模索

アメリカの長年の盟友であったカナダも近年、脱アメリカの動きを見せている。

２０１７年12月、カナダのジャスティン・トルドー首相が中国を訪問した。習近平総書記と会談後、こんな発言を残している。「カナダと中国との建設的な自由貿易協定の実現に向けた話し合いが、これからも続くことをうれしく思う」と、今後、中国との積極的な通商を求めていく意向を示しているのだ。

カナダが中国との通商を求める背景には、アメリカの貿易政策に対する「我慢の限界」がある。そして、2018年1月10日、ついに世界貿易機構（WTO）に対して、アメリカは貿易協定違反にあたる「制裁関税」を課していると提訴した。アメリカの反ダンピング（不当廉売）関税の適用など、問題とされる貿易政策はカナダのみならず、中国、インド、ブラジルの他、EU諸国にも及んでいる。

この提訴に対して、アメリカ通商代表部ロバート・ライトハイザー代表は「一番得をするのはカナダではなく他国になる。申し立てはカナダのためにならない」とカナダの提訴が中国を利することを警告した。警告すらも「アメリカファースト」とは、なかなかの徹底ぶりである。

欧米植民地支配に抵抗するアジア・アフリカ諸国

アジア圏、アフリカ諸国でも、アメリカおよび国際金融資本離れは加速している。

インドネシア・パプア州のグラスベルグ鉱山は、世界最大級の金と銅の生産量を誇る。実はこの鉱山は、ロスチャイルド一族やロックフェラー一族などが関与している、米鉱業大手フリーポート・マクモランが所有し、経営しているのである。

インドネシアに対する国際金融資本による支配の象徴ともなってきた同鉱山は、環境破壊、公害、労働環境などさまざまな問題をはらみ、反政府組織の標的となり続けていた。1977年の独立運動「自由パプア運動」では、インドネシア軍により、鉱山を攻撃した反体制組織800人以上が処刑された。2000年代になっても鉱山関係者への襲撃は続き、従業員をはじめ数人が殺害されている。

2014年、インドネシア政府は、鉱物の輸出禁止を強化する方針を打ち出した。そして、フリーポート社が鉱山の鉱物の輸出を望むならば、その条件として株の過半数を譲渡するようにと求めていた。インドネシアの手に鉱山を取り戻す決意をしたのである。

そして、2017年8月29日、フリーポート社は、インドネシア政府の要求を飲み、鉱山の株式51%をインドネシア政府に譲り渡す旨を発表した。

アジアの中でも、国際金融資本による植民地の色合いが強かったインドネシアが歯向かい、そして、支配する側も交渉のテーブルに着いて譲歩の姿勢を示す。かつてはとても考えられなかった光景である。

長らくアメリカの同盟国であったパキスタンも、アメリカに反旗を翻している。

2017年12月21日、各メディアで、「パキスタンは中国と貿易を行う際の決済通貨を、ドルから人民元へ変更することを検討している」との報道がなされた。さらに、2018年1月7日、パキスタンの中央銀行は、それを正式な決定として発表した。

この決定の裏では、アメリカとパキスタンの感情的な舌戦も繰り広げられている。

2018年1月1日、トランプは同年初のツイッター投稿にて「アメリカは過去15年にわたり、パキスタンに330億ドル（約3兆7000億円）以上の援助を愚かながらも行ってきたが、彼らが返してきたのは嘘と偽り以外の何物でもなかった。わが国の指導者を愚か者と思っている。パキスタンは、われわれがアフガニスタンで追っているテロリストをかくまっている。もうたくさんだ！」と、パキスタンを非難して支援を停止すると警告した。

これに対してパキスタン首相府も「何もかもを金銭的な価値の陰に押しやって、パキスタンが払った大きな犠牲を矮小化することはできない。そして、この金銭的な数字も想像上のものだ」「まったくもって理解不能」との声明を出し、真っ向から反論した。

現在、パキスタンのバックに付いているのは、長らく敵対関係にあった中国である。

報道によれば、中国は、パキスタン南西部の港町グワダルに商用港の建設を進めているという。これは「一帯一路」の主要ルート「ＣＰＥＣ（中国パキスタン経済回廊）」の拠点となる予定だが、アメリカ側は軍事港の開発だとして反発している。

アフリカでもハザールマフィアの支配体制が空中分解している。

ジンバブエでは、2017年11月14日、軍が国営放送局を占拠するという事実上のクーデターが発生した。同月21日、37年間にわたり権力の座に居続けた独裁者、ロバート・ムガベ大統領が退陣を発表した。CIA筋は「ムガベの失脚により、ハザールマフィアの支配が及ばない独自の『新アフリカ通貨』の発行が可能になった」と伝えている。

そして、今後注目されるのがリビアの動向だ。アメリカ海軍の参謀筋によると、現在、リビアをハザールマフィアの支配から解放するために、ロシアや中国が軍隊を派遣しているという。今後その駐留が続けば、EUが今までのようにリビアでの利権を押さえ、原油搾取（石油泥棒）を続けるのは不可能になる。早々に、経済的に窮することになるであろう。

エリザベス女王が目論む「イギリス・アメリカ再統合」

アメリカ経済（ドル）の限界、中国経済（人民元）の台頭、ハザールマフィア勢力の衰退など、混乱を極める世界情勢の中で、新たな統合への動きが見られる。

歴史的にロスチャイルド一族の勃興後、勢力を抑えられていたイギリス王室が、ハザールマフィアの弱体化を契機に本来の力を取り戻しつつある。

現在、エリザベス女王は、アジア、特に中国との友好な関係を継続的に保持していきたいと望んでいる。その第一歩として、アジアの旧王族連合であるドラゴンファミリーと協力体制を築いて、ロックフェラーが支配した「石油本位制ドル」を「金本位制通貨」に置き換えようと模索している。

エリザベス女王がイメージしている未来像は、コモンウェルス（イギリス連邦および、オーストラリアをはじめとする英連邦王国）とアングロサクソン国家（イギリス・オーストラリア・アメリカ・カナダ）の連携、つまり「英語圏の国家団結」である。そのために、アメリカを再びイギリス連邦に統合しようと目論んでいるのだ。

一方、キリスト教圏の国々に絶大な力を持つバチカン、そしてその上部団体であるイタリアのフリーメーソンP2ロッジは、別の構想を抱いている。長年の悲願であるバチカンを中心としたカトリック・キリスト教圏主導の「世界政府」の樹立である。

その礎を築いたのが、2016年2月のローマ法王フランシスコとロシア正教会モスクワ総主教キリルとの会見である。東西教会が分裂して以来、約1000年ぶりに行われたトップ会談であった。このキリスト教会団結への動きに合わせ、同年10月には、イギリスのエリザベス女王も自らキリル総主教をバッキンガム宮殿に出迎え、非公式の会談を行っている。

そして、２０１８年２月２日、「バチカンが中国政府公認の司教を認定する」とのニュースが報じられた。１９５１年にバチカンとの国交が断絶した後、中国は政府公認のカトリック教会（中国天主教愛国会）を設立して、独自に司教を認定していた。そして（政府非公認の地下教会を含めると）９００万人の信徒を有するまでに成長していった。

その後、司教の認定権をめぐって両者は対立し続けたのだが、今回、事実上の合意に達したのである。今後は双方が共同で司教の選任を行うことになるという。

フランシスコ法王は、宗教の融和を旗印にキリスト教だけでなく、イスラム教や仏教の指導者たちにも団結を呼びかけている。しかし、バチカンの上部団体であるＰ２ロッジは、長らく世界を裏から暴力で支配してきた巨大な闇組織である。今後そのバチカンの上部組織が平和的な路線を取っていくとは、にわかには断言できない。

彼らが目指す「世界政府」が、世界を平和に導くのか、そうでないのか、今後もその動きを注視する必要がある。

逆襲のハザールマフィアが「第三次世界大戦」を画策

世界的に劣勢に立たされているハザールマフィアの一部は、「第三次世界大戦」を引き起こすべく、世界各地で煽動活動や実力行使を繰り返している。

この「第三次世界大戦（人工ハルマゲドン）」こそが、ハザールマフィアがかつてより計画し続けてきた、「ヨハネ黙示録の現実化」＝「神が作った世界を一度滅ぼして、新しい世界を創出する」プロジェクトである。

その計画とは、核兵器、飢餓、疫病などによって世界人口の9割を抹殺して、生き残った1割（約7億人）を家畜・奴隷にして「世界独裁政府」を誕生させるというものだ。新たに建設される世界首都の場所は、戦後ナチス勢力の拠点となっていた南米が第一候補だという。

その計画を率先しているのが、先にも述べたハザールマフィアの手先であるイスラエルのネタニヤフ首相だ。

イスラエルが仕組んだ事故により、アメリカとロシアの戦争が勃発しようとしたのだ。

2019年7月1日、北極海の一部であるバレンツ海でロシアの潜水艦に火災が発生し、乗組員14人が死亡した。ロシアはこの事実を認めたが、潜水艦の種別や事故の詳細は軍事機密であるため公表を控えた。この潜水艦は、ロシア北方艦隊に所属する原子力潜水艦だと見られている。

しかし、これは単なる火災事故ではなかった。

この事故はモサドご用達のインターネットサイトDEBKAによって第1報が伝えられた。その記事には「アメリカとロシアとの間で戦闘があり、ロシアの潜水艦が撃沈された」と書かれていた。この記事はすぐに削除されたが、アメリカ軍がただちにロシア軍に確認をとったところ、ロシアの潜水艦はアメリカ以外の第3勢力によって攻撃されたことが判明したという。

一般には報道されていないが、ロシアの潜水艦の事件が起きる直前、イスラエルの潜水艦もペルシャ湾で何者かによる攻撃で撃沈されていた。

激怒したイスラエルは、バレンツ海に潜航していたロシアの潜水艦を攻撃した。それはアメリカの仕業だという偽りの情報をDEBKAに拡散させ、アメリカとロシアとの間に戦争を起こさせることを画策したのだ。

しかし、その記事がすぐに削除されたことからも分かるとおり、イスラエルの工作は失敗に終わった。アメリカ軍とロシア軍の良心派が秘かに連絡を取り合っていたために、第三次世界大戦に発展するような事態を避けることができたのだ。

東アジアでもハザールマフィアの煽動が過激化している。「民族を分裂させて戦わせる」という手法は、ハザールマフィアが大昔から行ってきた典型的なやり口である。

日本においては、大手メディアを使って「尖閣問題」などで中国アレルギーを刺激して日本と中国の緊張を高め、さらに「核ミサイル騒動」で北朝鮮脅威論を植え付ける。特に「従軍慰安婦問題」や「徴用工問題」を煽り、日本製品の不買運動やＧＳＯＭＩＡ（軍事情報包括保護協定）の破棄など、日本と韓国の関係は過去最悪の状態になっている。

ハザールマフィアは日本と韓国、それに中国を分断させようとしている。日本と韓国と中国がまとまるようなことになれば、世界の覇権が一気にアジアに移ってしまうからだ。日本や韓国、中国を見渡しても、これらのプロパガンダは成功を収めているようだ。

２０１９年６月から始まった香港の反政府デモも、いわば中国人と香港人の対立を煽るものだ。そもそもこのデモは、中国本土への容疑者移送を可能にする「逃亡犯条例」の改正に反対する香港市民の純粋な気持ちから起こったものだった。しかし、香港政府がその改定案を撤回した後も抗議は続き、過激化していった。

その暴徒化したデモ隊の中に、アメリカがカネで雇った暴力的なプロのデモ要員がかなりの数、紛れ込んでいたことが分かっている。その狙いは、中国軍の香港進出を誘発して中国の国際的なイメージを貶め、ハザールマフィアに対抗する中国の力を弱めることにある。

ＣＩＡの情報筋によると、一部のハザールマフィア側のＣＩＡ工作員が、暴動を起こす部隊に３０００香港ドル（約４万３５００円）、座り込み部隊に３００香港ドル（約４３５０円）の日当を支払っていたという。

しかし、この工作は失敗に終わろうとしている。中国当局がその支払いの現場を映像で押さえており、雇われた反政府デモ隊９００人以上を中国に連行したという。

今後もハザールマフィアによる「悪あがき」が世界各地で続くと思われる。何を仕掛けてくるか予想がつかない状態であり、最後まで油断してはならない。

第6章
全米で勃発する「アメリカ内戦」の実態
「トランプ暗殺」から「気象兵器」まで激化

トランプ政権を樹立した米軍が「戦争マフィア」と対決

メディアではその全貌が報じられてはいないが、アメリカ国内では「内戦」が続いている。比喩としての内戦ではない。本当の「軍事的」内戦である。

それは、トランプ政権を擁立した勢力による、ハザールマフィアをアメリカ政府の中枢部から駆逐する戦いである。トランプ政権を擁立した勢力とは、具体的には、アメリカ軍制服組、CIA（中央情報局）、FBI（連邦捜査局）、NSA（国家安全保障局）のキャリア官僚などからなる集合体である。この集合体を私は「愛国派軍部連合」と呼ぶことにする。

この勢力の中心的存在であり、トランプを神輿に担いで合法的「軍事クーデター」の絵を描いたのが、アメリカ海兵隊をはじめとするアメリカ軍制服組である。

2016年の大統領選は、ハザールマフィア、クリントン一族の人間であるヒラリー・クリントンを打倒することが目的であった。ヒラリーさえ排除できれば、大統領になる人間は必ずしもトランプでなくともよかったのである。

だが当たり前だが、アメリカ軍なくしては「軍事クーデター」が成功することはなかった。

私が以前より「トランプ政権は、軍事政権である」というのは、そういう意味である。

アメリカ軍のハザールマフィア打倒の意思が本物であることは、海兵隊制服組主導からもうかがえる。なぜなら、海兵隊制服組は、ハザールマフィア勢力にとって超が付く「危険人物」を信奉しているからだ。

その危険人物とは、1898年から1931年まで海兵隊に所属した英雄、スメドリー・バトラー少将である。

バトラーは退役後、「戦争はいかがわしい商売だ」と題するパンフレットを刷り、第一次世界大戦やバナナ戦争（アメリカが行った中央アメリカ諸国への軍事介入）で莫大な利潤を収める軍需産業を非難した。さらに「戦争はマフィアの金儲け」とまで公言。当然の結果、アメリカ・ナチス派のハザールマフィアと対立する。

第二次世界大戦後も、アメリカ軍をハザールマフィアの私兵へと変貌させたパパ・ブッシュに、最後まで盾突き続けた。そのバトラーの意思を継いだ海兵隊制服組が、バトラーの長年の敵であるハザールマフィアに対して宣戦布告をしたのである。

アメリカ軍の第一の目的は、アメリカ・ナチス派のハザールマフィアから、アメリカ国民の手にアメリカ軍を取り戻すことである。

アメリカの全戦力は陸海空海兵隊を合わせて140万人規模、年間予算は6000億ドル（約

63兆円）にも及ぶ。しかし、国土の防衛だけであれば、現在の10分の1の戦力で十分だといわれている。ハザールマフィアが世界を侵略・支配するために、国防に必要な戦力の10倍まで規模を膨張させてきたのだ。そして今、ハザールマフィアの限界を超えた搾取の果てにボロボロになったアメリカ経済の中で、アメリカ軍の存続自体が危ぶまれているのだ。

「これ以上ハザールマフィアの金儲けに使われたくない」そういった意思の下、愛国派軍部連合を中心とするアメリカ軍が「トランプ軍事政権」を樹立したのだ。先の章で述べたアメリカとイランとの戦争を阻止したのも愛国派軍部連合である。

トランプ政権の誕生直後、アメリカ軍は早速ハザールマフィアの影響下にある組織に対して次々に手入れを行った。

アメリカ軍幹部筋などの情報を総合すると、2017年10月30日から11月10日までの期間に、全米24の地域で、確認されているだけでも2万2500人及ぶ大物政治家や財界人などの有力者が逮捕・起訴されている。その中には、FRBの資金によって権力の座についた人物なども含まれているようだ。

ペンタゴン筋の情報によると、この逮捕劇で、多くの逮捕者を出した地域はバージニア州のプリンスウィリアム郡だという。ワシントンD.C.からほど近い、マネーカースト上位の富裕層が住む高級エリアである。ハザールマフィアの息がかかった政治関係者に、軍の手が伸びているのだ。「今回の逮捕劇の中心となっているのは、政治家の給料には不相応の財産を持つ人物や、大財団の所有者だ」との情報も入ってきている。

以前より、CIAやペンタゴンの情報筋から「今後、アメリカの大物政治家50人以上が逮捕される予定だ」という話を聞いていたが、実際には、それよりもさらに大規模な逮捕が断行されることになったのだ。

しかし、逮捕前の大物被疑者の逃亡や証拠隠滅を防ぐために、逮捕劇が一段落するまでは、その名前や容疑などの情報は一切公表されることはないという。

大量逮捕劇と関連した動きとして、2017年10月以降、上下両院合わせて30人以上の議員が政界引退を発表した。「ワシントンD.C.からおとなしく退場するのであれば、代わりに刑務所行きは免除する」という軍当局の取引に応じた模様である。

2018年1月20日、トランプ政権発足からわずか1年で、オマロサ・マニゴールド大統領補佐官、ディナ・パウエル大統領副補佐官が辞任をした。

以上はすべて、ワシントンD.C.内にいる「ハザールマフィアの息のかかった人間」を駆逐する動きの一環である。現在も、ワシントンD.C.の「大掃除」は続いている。

全世界のパソコンに仕込まれた「不法アクセスの裏口」

ペンタゴン筋からの情報によれば、東海岸のワシントンD.C.の大掃除（大量逮捕）のみならず、捜査の中心はすでに西海岸カリフォルニア州の超富裕層へと移されたという。大企業に巣食うハザールマフィア摘発が活性化しているのだ。

２０１７年10月18日、トランプは、連邦取引委員会（ＦＴＣ）の委員長に、独占禁止法（競争法）を専門とする弁護士、ジョセフ・シモンズを指名した。

また、同年12月21日、トランプはＩＥＥＰＡ（国際緊急経済権限法）を発動した。同法の内容を要約すると、「（アメリカ政府が）アメリカに対する脅威があると見なした場合、組織・個人を問わず国内外の資産を没収して金融取引も禁止する」という法律である。

シモンズの人事やＩＥＥＰＡ発動の狙いは、グーグルやフェイスブック、マイクロソフトといった、ハザールマフィアの権力の源泉となってきた大手ＩＴ企業である。ＩＥＥＰＡの対象者は、外国の組織もしくは外国人とされているが、多国籍企業である大手ＩＴ企業はもちろん対象範囲内である。

グーグルは長らく、真実を伝えようとする世界中の多くのジャーナリストや告発者の「情報潰し」に加担してきた。さらに、NSAが、ネット上にある全世界の企業や個人の情報をすべて見られるように便宜を図ってきたのだ。

それだけではない。彼らは傭兵を雇い、企業の利益のために、アメリカ政府の管轄外にある世界各地で軍事的な活動や工作にも携わってきたのである。

ペンタゴンおよびNSA筋などからの情報によると、2018年1月、グーグル（およびグループ企業）の持株会社「アルファベット」のエリック・シュミット会長退任は、同法の発動が発端だったという。

2013年1月、シュミットは北朝鮮の平壌を訪問した。表向きは北朝鮮にインターネットを普及させるためとしている。しかし真の目的は「北朝鮮問題」を演出するため同国に弾道ミサイルを発射させ、その謝礼として3000万ドルを渡すためだったとされる。

また、シュミットは、2014年の「マレーシア航空17便撃墜事件」への関与も疑われている。何者かの手で発射された地対空ミサイル「ブーク」によって、マレーシア航空の定期旅客便がウクライナ領空で撃墜された事件である。ハザールマフィアがロシア製のミサイルを使用して、ロシア軍の犯行と見せかけるために仕掛けたプロパガンダだとされている。

このように数々の軍事的工作に携わってきたシュミットの退任に対して、同情報筋は「これで重要な駒の一つがゲームから取り除かれた」と話している。

テキサス州在住のＣＩＡ筋から私の元に送られてきた次のメールもまた、ハザールマフィアに牛耳られた大手ＩＴ企業の脅威を物語るものである。

「大部分のコンピューターにはバックドアが仕込まれている。今後、徹底的に追い詰められたとき、ハザールマフィアは最後の悪あがきにインターネットの接続を切るつもりだ。その瞬間、世界中のすべての金融情報が消える」

このバックドア（不法アクセスのための裏口）に関する情報は、２０１８年の以下の報道の内容とリンクしている。


米半導体大手インテルやアドバンスト・マイクロ・デバイセズ（AMD）、ARMホールディングスの半導体を内蔵するコンピューター機器から情報が流出する可能性を伴う安全上の欠陥が3日、2件見つかった。米アルファベット傘下のグーグルでセキュリティの改善に取り組む組織「プロジェクト・ゼロ」などの研究者らが発表した。

欠陥のうち1件は「メルトダウン」と呼ばれる。インテルの半導体に影響し、ユーザーが利用しているアプリケーションとコンピューターのメモリー間にある障壁をハッカーが打ち破り、メモリーの内容が読み込まれてパスワードが盗まれる恐れがある。

別の1件は「スペクター」と呼ばれ、インテルとAMD、ARMの半導体に影響。本来なら正常に稼働するアプリケーションが撹乱されて機密情報をハッカーに渡す可能性がある。
（「ロイター」2018年1月3日付）

記事がいうところの「欠陥」とは、いずれもパスワードやログインキー、画像などのハッキングを可能にするものである、つまり、これこそが、プログラム開発時点で意図的にコンピューターやスマートフォンに仕込まれた「バックドア」に他ならない。

そしてこの「欠陥」は、すでに全世界の個人や企業のコンピューターに内蔵されているのだ。

ちなみに、現段階で「スペクター」に関しては、修正する手立てはないという。

現代社会では国家や企業、個人の金融情報の大半がパソコンでデータ管理されている。それらを一瞬で凍結させるボタンを、ハザールマフィアに握られてしまっているのだ。

２０１８年3月にはグーグル社員による内部告発も起きている。

その告発によれば、グーグルは言論操作の一環として、弾圧したい言論人に対して「ロシア工作員」というレッテルを貼ることで、ネット上からの排除を行っているという。さらに、ツイッターやフェイスブックなどのＳＮＳ上でチャットボット（ＡＩ自動会話プログラム）を駆使して、ハザールマフィア勢力の求める方向に世論を誘導しているのだという。

ペンタゴン筋は、このような大手ＩＴ企業の現状を危険視しており、「グーグルを国有化して政府で管理する必要がある」との見解を示している。

悪事が露呈しているのはグーグルだけではない。２０１８年3月、フェイスブックから８７００人分の情報が流出し、不正に利用されていた疑惑が持ち上がった。同年4月上旬には、フェイスブックのＣＥＯマーク・ザッカーバーグが議会での証言を求められる事態となった。

現段階では事件の全貌は明らかではないが、ザッカーバーグはデイヴィット・ロックフェラーの孫と目される人物である。フェイスブックが全世界に対するハザールマフィアの「監視装置」であった可能性は高い。今回の不正流出露呈もまた、ハザールマフィア系大手ＩＴ企業の地盤崩壊から起こったものである。

「階級社会カリフォルニア」高級住宅街がスラム化

ハザールマフィア系の大手ＩＴ企業の多くが本社を置くカリフォルニア州は、アメリカの中でも、マネーカーストが目に見える形で現出した地域である。

以下のリンクの画像や動画を見てほしい。

高級住宅街に隣接した道端にテントがずらりと立ち並び、スラム化している風景が映し出されている。巨万の富を築く一部の富裕層のすぐ側で、多くの人々が路上生活を強いられているのだ。(https://www.zerohedge.com/news/2018-01-17/californias-homeless-problem-revealed-one-incredible-video)

マネーカーストに対する貧困層の不満は日増しに高まっている。

２０１８年1月には、アップルの従業員の専用通勤バスが、高速道路移動中にエアガンによって襲撃され、ガラスを割られるという事件が発生した。その後も、20件ほどバス襲撃は続き、同年3月時点でも襲撃犯は捕まっておらず、運営会社が有力な犯人情報に1万ドルの懸賞金を出すまでになっている。

その背景には、アップルやグーグルといった大手ＩＴ企業の従業員の流入により、サンフランシスコの家賃や物価が急激に上がり、地元住民の生活を苦しめているという現状がある。大企業のエリートが暮らすサンフランシスコとシリコンバレーにあるオフィスを結ぶ専用通勤バスが整備されたことにより、バス路線沿いの家賃が著しく上昇。かねてより、これらのバスはカリフォルニア州の格差の象徴とされていたのだ。

また、アメリカの不法移民１１００万人の約４分の1にあたる２５０万人以上が居住するカリフォルニア州は、トランプ政権発足以来、移民政策をめぐり政府と激しく対立している。

2018年3月8日、移民保護政策をとっている同州に対して、トランプ政権は政策の差し止めを求めて提訴した。これに対して、ジェリー・ブラウン州知事は、「アメリカ経済の原動力であるカリフォルニア州に『戦争』を仕掛けている。賢明でなく、正しくもない」と強く反発した。

移民問題でいえば、カリフォルニア州南部の農場などは、低賃金でも一生懸命働いてくれる不法移民がいることで成立している。不法移民を強制送還すれば、農場経営者は生産をストップし、野菜や穀物は高騰。国民の生活にもいずれ影響が出てくる。貧しいがゆえにきつい仕事も厭わない不法移民の労働力が、アメリカの食料事情を支えているのだ。

カリフォルニア州のGDPは約2・4兆ドルと、フランスやインドという国家を上回る経済規模を誇る。しかし、数字上では豊かな州であっても、内情は大手IT企業のエリートといった富裕層と、不法移民や路上生活者といった貧困層で形成された階級社会。まさにアメリカのマネーカーストを象徴する見本市のような州なのだ。

さらに、カリフォルニア州民の間では政府に納める連邦税などへの不満から、独立運動が盛んになっている。「Brexit（イギリスのEU離脱）」になぞらえて、「Calexit」（カリフォルニアのアメリカ離脱）なる標語が市民権を得つつあるのだ。

路上生活者のテントが並ぶ
スラム化したカリフォルニア高級住宅街

カリフォルニア州のGDPは全米1位、世界6位の経済規模を誇る。しかし現在、高級住宅街の道端に路上生活者のテントが立ち並ぶという異様な風景が広がっている。大手IT企業の富裕層の流入により家賃や物価が上昇、地元住民との経済格差が拡大した。アメリカのマネーカーストを象徴する階級社会となっているのだ。

（出所）「Zero Hedge」2018年1月17日付、YouTubeより

経済格差や移民問題、さらに独立運動と混迷するカリフォルニア州の状況を受けて、ペンタゴン筋は「最悪の場合、軍が介入せざるを得ない」と話している。

米軍海兵隊が「CIAラングレー本部」を制圧

ハザールマフィア勢力の大量逮捕を遂行しつつ、もはやその外堀を埋めたと判断したアメリカ軍は、ついに軍事攻勢へと転じた。

「軍が攻撃に出るときは、手始めに敵の前哨地点に配備されたオブザベーションポスト（監視所）を制圧する。次に最前線の部隊を攻撃し、順々に進みながら最後に敵本拠地へとたどり着く」。ペンタゴン筋の人物の言葉である。

ハザールマフィアのオブザベーションポストこそが、かの「モッキンバード作戦」を管理していたバージニア州のCIAラングレー本部（中央情報局本部）である。

モッキンバード作戦とは、冷戦期1950年代に開始された、CIAによるアメリカの大手マスコミに対する管理強化作戦である。大手マスコミは、CIAの意向をうかがうだけでなく、同局からの出向人員を受け入れるなど、情報当局に報道内容を管理されてきたのだ。

この作戦については、何度かの告発を受けて、ＣＩＡ自体も作戦の存在を認めている。その度に管理の縮小方針を示すが、もちろん表面上のことであり、ＣＩＡによる大手マスコミへの支配は脈々と続いていた。

ペンタゴン筋からの情報によれば、２０１７年11月18日、アメリカ軍海兵隊がＣＩＡラングレー本部から２００キロほど離れた場所に展開し、同本部に「軍の捜査官による家宅捜査の受け入れ」を要求した。ＣＩＡはこの要求を全面的に受け入れ、おとなしく家宅捜査をさせて、各種データの入ったコンピューターやハードディスクなどの押収にも応じたという。ＣＩＡ内部に巣食うハザールマフィア（ナチス派ＣＩＡ）に大打撃を与えたのだ。

海兵隊がラングレー本部を制圧して以降、アメリカの大手マスコミの上級役員52人が解雇や停職、もしくは不正の告発などによって失脚した。

そして、それを反映して「ＣＮＮ」「ニューヨーク・タイムズ」「ブルームバーグ」「ワシントン・ポスト」といった、それまで権力者に都合のよいフェイクニュースばかりを垂れ流していた大手マスコミの報道体制に、如実な変化が現れた。

例えば、２０１７年12月6日、ブルームバーグは「ロシア疑惑を調べているロバート・ムラー特別検察官が、ドイツ銀行に対してトランプ大統領の口座に関する記録の提出を命じた」との報道について、誤りがあったことを認めて訂正を出している。

ＣＮＮの「大統領選中に、トランプの長男・ドナルド・トランプJr.がウィキリークスから、ハッキングされた民主党のインサイダー情報を提供されていた」といった記事も誤りであったことが露呈した。これも、大手マスコミへのハザールマフィアの支配力が弱まった結果である。

ハザールマフィア系マスコミの転向と時を同じくして、有名女優やモデルなどが、ハリウッドの大物によるセクシャルハラスメントを告発する「セクハラ騒動」が起こり、拡大していった。特に大物プロデューサーのハーヴェイ・ワインスタイン絡みのスキャンダルは、一大騒動となった。20年以上の間、女優やモデルにセクハラやレイプを繰り返していた事実が明らかになったのである。

また俳優のメル・ギブソンも、ハリウッドに巣食うハザールマフィアの「悪魔信仰」的な所行について告発をしている。

ＢＢＣ（英国放送協会）の番組収録後のインタビューで、「ハリウッドのエリートたちは、毎年大量の子供たちを虐待している。そして、子供たちを殺して血を飲み、肉を食べる。彼らは、その行為から生命力や繁栄を得られると信じている」と、ハザールマフィアの悪魔信仰の影響下にあるハリウッドの陰惨な内情を語った。

ハザールマフィアの大手マスコミに対する支配力の低下により、今後もこのような「隠されたニュース」が次々と明るみに出るにちがいない。

トランプも参加?「性的児童虐待スキャンダル」の闇

アメリカ軍と諜報当局によるハザールマフィアへの攻勢で注目を集めたのが、アメリカの実業家ジェフリー・エプスタインの性的児童虐待スキャンダルである。彼の摘発もハザールマフィアを追い詰める原因になっている。

エプスタインは、自分が所有する島に欧米のセレブやエリートたちを招待し、未成年の少女や少年に性的な行為をさせ、その様子を録画していた。その島には、元アメリカ大統領のビル・クリントンや、イギリスのエリザベス女王の次男ヨーク公アンドリュー王子も訪れていたことが分かっている。トランプ大統領も例外ではなく、エプスタインの自宅で行われた乱交パーティで当時13歳の少女をレイプした疑いで少女本人から告訴されている。

ペンタゴン筋によると、エプスタインはハザールマフィアに協力するイスラエルの諜報機関「モサド」の工作員であったという。そして、彼の仕事は、著名な政治家や財界人、俳優などに未成年の少女や少年を斡旋して、その映像を盗撮して脅迫を行うことだった。

すでにエプスタインの自供によって、未成年の少女や少年と関係を持った著名人やエリートが1000人にのぼること、その氏名も明らかになっているという。これが公表されたらアメリカ史上最大のスキャンダルに発展することは必至だ。そうなる前にエプスタインの自供によって、脅迫を受けていた著名人や富裕層たちが司法取引に応じ、島で行われていた「児童の生贄儀式」などについても証言を始めるだろうといわれていた。

ところが、これらの性的児童虐待の詳細が明らかになる前の2019年8月10日、エプスタインは拘留されていたニューヨーク州の拘置所内で自殺したと発表された。

報道によると、検視の結果、エプスタインの首は舌骨を含め、数カ所にわたって骨折していたことが判明したという。特に舌骨は絞殺の場合に折れることが多いとされ、専門家は「自殺死体に首の骨折があるのは非常にまれだ」と語っている。

やはりエプスタインは殺されたのだろうか。いや、そうではない。

CIA筋の情報によると、「エプスタインが司法取引に応じたため、本当は生きているが死亡したことにした」という。

先にも述べたとおり、エプスタインは長年にわたってイスラエル諜報機関モサドの工作員として働いていた。彼の役割は、著名な政治家や財界人、俳優などに未成年の少女や少年をあてがい、その盗撮映像を脅迫材料として収集することだった。

それだけではない。これまで謎だった彼の資金源についても、イスラエルと癒着するハザールマフィアから流れてきたものだということが分かってきている。実際に、エプスタインとの不透明な金融取引をめぐって、ドイツ銀行に捜査の手が伸びているとも伝えられている。

こうしたエプスタインの背後関係が判明することで、一番困るのはハザールマフィアであることはいうまでもない。エプスタインを死亡したことにした目的の一つは、そうしたハザールマフィアが口封じのためにエプスタインを殺害するのを防ぐことだった。さらに、「自殺に見せかけた他殺」というストーリーを流すことによって、エプスタインと交友があった政財界のエリートたちに対する捜査をやりやすくするためだとＣＩＡ筋は語っている。

実際に、その作戦は功を奏し、ハザールマフィアの報復を恐れた政財界のエリートたちは、軍や諜報当局などとの司法取引に応じ、エプスタインの裏にいたハザールマフィアの勢力について情報を提供しているという。

エプスタインの「見せかけの他殺」直後、所有していた島への家宅捜査を開始され、アメリカ軍と諜報当局は情報収集衛星などのハイテク軍事衛星を駆使した偵察まで行なったという。

その捜査の結果、すでに血まみれのベッドや子どもの骨が多数、見つかっているとＦＢＩは伝えている。

さらに、ニューヨークにあるエプスタインの邸宅からは、元アメリカ大統領ビル・クリントンの女装姿の肖像画も発見され、公開されている。このことからも、この捜査の標的がうかがい知れるだろう。

エリザベス女王の次男であるアンドリュー王子もエプスタインの島を訪れていたことが分かっている。イギリス王族筋は、「今回の疑惑は封印されることはないだろう」と話しているようだが、それほどまでに今回の捜査は本気だということだ。

「バージニア極右暴動事件」と「デモ参加者募集広告」

もちろんハザールマフィア側もやられっぱなしではない。

全米各地でさまざまな動きを見せている。トランプ政権の誕生以降、ハザールマフィアの反撃を振り返ってみよう。

2017年8月12日、バージニア州シャーロッツビルで、「白人至上主義者（右派）が対立する反対派グループ（左派）のデモの列に車で突っ込み、1人が死亡、10数人が重軽傷を負っ

**性的児童虐待のエプスタインの邸宅から
クリントン元大統領の女装肖像画が発見**

ジェフリー・エプスタイン（写真左）の邸宅で発見されたクリントン元大統領の女装姿の肖像画（写真右）。クリントンが身に着けているドレスは、不倫相手のモニカ・ルインスキーが密会の際に着用していたものとそっくりだという。また、エプスタインと親密な関係だったクリントンにも性的児童虐待の疑いが浮上している。

た」とされる事件が報道された。

このデモは、南北戦争の南部連合軍司令官、ロバート・E・リーの銅像撤去問題に端を発するものである。左派はこの像を人種差別的であるとして撤去を求め、右派はリー将軍の歴史的偉業を尊重すべきと撤去に反対していた。

事件直後から、大手マスコミによって一斉に、「トランプの支持層である白人至上主義者の犯行だ」と、トランプに対するネガティブキャンペーンが開始された。しかし、NSA筋からの情報によれば、事件はすべて国務省の職員が演出した捏造とのことである。

さらに、現地でデモの取材をしていた私の知人からも「呼び掛けで集まった右派の人々は、警察当局から解散命令が出された時点でおとなしくその場を去った」との証言を得ている。デモに車で突っ込んだ犯人は、右派の人間ではないというのだ。

さらに知人は「(報道されていたような)KKK(クー・クラックス・クラン)の活動家が集結したという事実もない」と語っていた。

そして気になるのは、事件の1週間ほど前から人材募集ウェブサイトで出されていた、時給25ドルの「デモ参加者募集」の広告である。この募集広告を出している「Crowds on Demand」という会社のウェブサイトを見てみると、なんとこの企業は、全米各地で「抗議デモや集会などのために大勢の人員を調達するサービス」を提供しているのだ。

このデモ騒動に「Crowds on Demand」社が関与しているかどうかは、今の時点では不明だが、全米各地で起きているその他のデモでも奇妙な目撃情報が相次いでいる。

なんとも不可解なことに、黒人団体「Black Lives Matter」の活動家たちと、白人至上主義団体「ＫＫＫ」の活動家たちが、デモ開始場所の近くまで同じバスに乗ってやってきたというのだ。一触即発状態であるはずの対立組織のメンバーがバスに同乗してくるなど、あり得ない話である。

先の章で詳述したように「民族を分裂させて戦わせる」という手法は、ハザールマフィアの歴史的な常套手段である。多くのサクラを雇って、このようなデモやテロ事件までも「演出」しているのだ。

過去の拙書でも、２０１２年のオーロラ銃乱射事件、サンディ・フック小学校銃乱射事件、２０１３年のボストンマラソン爆破テロ事件、そして２０１５年のパリ同時多発テロ事件、それらの事件現場の写真に写る「泣き叫ぶ女性」が、どう見ても「同一人物」であるという事実を報告した。

今回の一連のデモ騒動も、サクラを使った「ヤラセ」である疑いが濃厚である。

「気象兵器テロ」巨大ハリケーンがアメリカ本土を直撃

ハザールマフィアは、さらに巨大なテロも仕掛けてきている。

2017年9月、分類中最強のカテゴリー5に属するハリケーン「イルマ」がフロリダ州を直撃した。アメリカ政府は、史上最大規模の警戒態勢を敷き、フロリダ州650万人以上の住民に対して避難命令を出した。この直前には、カテゴリー4に属するハリケーン「ハービー」がテキサス州を直撃している。1年の間にアメリカ本土にカテゴリー4以上のハリケーンが二つも上陸するのは、アメリカ史上初めてのことだ。

そして、9月にはその他にもマサチューセッツ州近くの大西洋沖を通過したハリケーン「ホセ」、メキシコ湾沖で発生したハリケーン「カティア」など、アメリカ周辺でハリケーンが続出しているのだ。

歴史的にも類を見ない同時期のハリケーン発生に、ABCニュースでも、これを「不可解な現象」とする気象学者の見解を報じている。

さらに「不可解な現象」が他にもある。アメリカ海軍のウェブサイトで公開されている観測データによれば、ハリケーン「イルマ」の方角に向けて南極から放射される「正体不明の電磁波」が確認されたのだ。以前よりロシアやアメリカの当局筋から「戦時中から戦後にかけて、ナチスは南極の氷洞に秘密の基地を建設していた」との情報を得ている。

この異常なハリケーン群は、ナチス残党が南極秘密基地で開発した電磁波を使用した、ハザールマフィアによる「気象テロ」である可能性が高い。

P2ロッジの幹部筋からの情報によれば、ハザールマフィアはこの気象テロでアメリカ政府を脅し、前章で述べた「世界独裁政府」プロジェクトに賛同するように要求しているという。ナチスの地下基地といえば、他にも不気味な現象がある。2018年1月11日以降、ネバダ州リノでは、人が感知しないほどの微振動が頻発している。その震源地を調べると、ちょうどナチス残党の地下基地があるとされる場所なのだ。

気になるのは、同時期にアメリカ空軍が発表した、イギリス空軍、オーストラリア空軍との3カ国連携による史上最大規模の共同軍事演習の計画である。この軍事演習の際、ネバダ州と隣接する西海岸広域ですべてのGPS信号を止める予定だというのだ。

情報を総合すると、米英豪の連合軍がナチス残党の地下基地に対して、何らかの軍事行動を起こしている可能性が高い。微震はその軍事行動に関連して発生しているようだ。

同年2月19日には、同じくネバダ州で、空から高速の光が地上に向けて発射されている不思議な映像が撮影され、ネットにアップされた。現在のところ、その正体は不明だが、時を同じくして起きた怪現象ということもあり、その関連性が疑われている。

カリフォルニア森林火災と「レーザーのような光線」

不可解な「自然災害」は他にも起こっている。
２０１７年10月、カリフォルニア州北部で史上最大の森林火災が発生した。この大規模な山火事により、東京都23区の面積を上回る１０００平方キロメートル以上が焼失。死者は少なくとも40人以上。約８９００棟もの民家などの建築物が倒壊し、約10万の人々が住居を失った。
この火災の最中に空から不思議な「レーザーのような光線」が放射されている映像が、続々とネットにアップされた。以下のユーチューブの動画もその一つである。(https://www.youtube.com/watch?v=RBLBAM-Vi3c&feature=youtu.be)
また、２０９ページの画像を見ていただきたい。これはネット記事にアップされたこの災害の画像であるが、不可解なことに離れた場所にある三つの建物だけがピンポイントで焼失して

カリフォルニア大火災で撮影された 不可解な「レーザー光線」

2017年10月、カリフォルニア州で大規模な森林火災が発生。燃え盛る炎の中、空からレーザーのような光線が放射される映像（写真上）がネット上に次々とアップされた。さらに、レーザー光線で建物がピンポイントに焼かれたような画像（写真下）も発見される。今回の火災が何者かによる「人災」の可能性がささやかれている。

（出所）YouTube、「sonoma magazine」インターネット版より

いる。大規模火災で建物がこれだけ焼失したのであれば、当然、周辺の木々や道路、その他の建造物も燃えてなければおかしい。しかし、もし空から降る「レーザーのような光線」で焼かれたとすると、このような状態になると思われる。

実を言うと、「空からの光線によってカルフォリニア州の住居が破壊される」ことは、数年前から警告されていた。

警告を発していたのはデボラ・タベラスという女性。２０１５年に収録されたインタビューの中で、「人工衛星から電磁波を照射して住居を破壊し、カリフォルニア州の一部地域に自然保護区を建設する」という計画の存在を告発している。

彼女の証言によれば、その計画の発端は、１９９２年6月にブラジルのリオ・デ・ジャネイロで開催された国連環境開発会議、通称「地球サミット」にまでさかのぼる。その際、「アジェンダ21」という環境保全に関する行動計画が採決される。その中で、電磁波によるカルフォルニア州の大規模火災が計画された、というのだ。

さらに彼女は、この計画を立案している組織は、サンフランシスコにあるPG&E（パシフィック・ガス・アンド・エレクトリック・カンパニー）という天然ガス・電力供給企業であると指摘。そして、このPG&Eはロスチャイルド一族の関連企業なのである。

以上の情報を総合すると、カリフォルニアの森林火災がハザールマフィアによる自然災害テロであり、さらにその首謀者はロスチャイルド一族である可能性が高い。

話は多少それるが、奇妙な火災事件は至る所で起きている。2017年12月31日に、イギリス・リバプールの大型駐車場で車が次々に燃えて、最終的に1400台もの車が丸焦げになった火災があった。出火元は高級乗用車ランドローバー・ディスカバリーのエンジンルームといわれているが、出火原因は不明である。「これもまた、エネルギー兵器による何らかの攻撃ではないか」との憶測が飛び交っている。

2017年8月にも、アメリカ・イリノイ州のクラシックカー販売業者で同様の火災が発生。150台以上のクラシックカーが黒こげになり、被害総額は数百億円に及ぶという。火災の原因、および出火元も不明だという。

最後に話をアメリカ国内の「内戦」について戻そう。

現在のところ、世間には公表されずに続いている「内戦」だが、トランプ政権は、司法上でも「国内戦時体制」への準備を進めている。

2018年3月1日、ホワイトハウスの公式ホームページで「裁判所の手引書改正」に関する大統領令が発表された。その中で「戒厳令が公布された場合、すべての民間人が軍法と軍事裁判の対象になる」との主旨が明記されている。緊急事態に向けた「戒厳令」の準備が着々と進められているのだ。

第7章

ナチス派の巨頭「ブッシュ一族」と「クリントン一族」

アメリカの闇で暗躍した血族の悪行

第二次世界大戦の「ナチス利権」で勃興したブッシュ一族

前章では、アメリカ国内で追い込まれつつあるハザールマフィアの現状を見てきた。

この章では、アメリカのハザールマフィアの中心的な存在である、ブッシュ一族とクリントン一族について詳述しよう。

まずは、ブッシュ一族から見ていこう。

なぜ、ブッシュ一族が、パパ・ブッシュ（第41代大統領ジョージ・H・W・ブッシュ）、ベイビー・ブッシュ（第43代大統領ジョージ・W・ブッシュ）と親子2代で大統領を輩出するまでの巨大な存在となったのか。その権力の源泉、それは「ナチス」とのつながりにある。ナチスの力なくしては、ブッシュ一族の隆盛はあり得なかったのである。

ナチスとのパイプを築いたのは、パパ・ブッシュの父親、プレスコット・ブッシュであったとされる。

第二次世界大戦前、銀行家であったプレスコットは、ヒトラーの信奉者であり、ナチスドイツの台頭に深く関係するドイツの実業家フリッツ・ティッセンに資金提供を行っていた。そのルートからプレスコットはナチスドイツとの通商取引を行い、相当な財産を築いたとされる。その富の一部は、当時すでに稼働していたアウシュビッツ収容所の被収容者の強制労働によって生まれたカネだともいわれている。

プレスコットは、ナチスの隠し財産とされた「ユニオン銀行株式会社」の共同経営者兼社長も務めていた。アメリカとドイツが開戦した後も、数カ月間、ナチスドイツの軍需産業に関与。さらに１９３０年代、ナチスドイツを模したファシスト政権をアメリカに樹立すべくクーデターを計画したこともあった。まさに生粋のナチス信奉者なのである。

事実、戦時中、プレスコットが経営に参加していた「ハンブルク・アメリカン運輸会社」「オランダ・アメリカン交易株式会社」「継目無し鋼材株式会社」３社が、ナチスドイツとの通商を行っているとして「対敵通商法」により差し押さえられている。ナチスドイツの敗北が濃厚となると、フリッツ・ティッセンはナチス相手の取引で得た財産（株券・証券・証書などの所有権文書）をプレスコットに送ったとされている。

終戦後、プレスコットはナチスとの関わりを隠蔽したまま政界入りをして、連邦上院議員となった。そしてその裏で、ブッシュ一族とナチス残党との関わりは続いていく。しかし、当時もメディアは、プレスコットのナチス利権への関与をまったく報じることはなかった。

ナチスとのつながりは、プレスコットの次男、パパ・ブッシュへと引き継がれる。第二次世界大戦に艦上攻撃機パイロットとして参加し、終戦後、イェール大学に進学したパパ・ブッシュは、そこで父・プレスコットも属していた秘密結社スカル・アンド・ボーンズに加入する。

スカル・アンド・ボーンズは、金融や石油といった重要産業の中枢や、国防総省（ペンタゴン）、国務省などに影響力を持つ結社である。また歴代のＣＩＡ長官はほぼすべて同結社のメンバーが歴任。後にＣＩＡ長官となり、同局を私兵化していくパパ・ブッシュの政治的基盤はここで築かれたものだ。

戦後、パパ・ブッシュは石油ビジネス界に進出した。同時に政界入りしていた父親の手引きで、ＣＩＡの仕事に協力していたともいわれている。パパ・ブッシュは後に、ＣＩＡ長官就任直前の公聴会にて「これまでＣＩＡの仕事をしたことは一度もない」と証言しているが、これは偽証の疑いが強い。

当時、パパ・ブッシュはプレスコットの指示の下、ナチス残党が中南米などの海外へ逃亡する手引をしたようだ。同じ手口で、旧日本軍を北朝鮮へ、中国国民党を台湾へ逃したともいわれる。こうして、ブッシュ一族は、世界中の敗残兵たちの司令塔の地位を築いていく。

ブッシュ一族が、敗残兵ルートを使って開始したのが「麻薬ビジネス」である。中南米―台湾―北朝鮮の黄金の三角地帯で製造した麻薬を先進国で売りさばき、そのカネをタックスヘイブン経由でマネーロンダリングして、ウォール街の金融資金にする。この裏ビジネスでブッシュ一族の富は急速に増大していった。

ケネディが取り戻そうとした「ドル発行権」

政界入り以前、ＣＩＡの活動に従事していた時期に、パパ・ブッシュが関わったとされる歴史的事件が「ケネディ暗殺」である。

１９６３年11月22日、テキサス州ダラス市内でのパレード中、第35代大統領ジョン・Ｆ・ケネディが狙撃された事件だ。２日後、犯人とされたリー・ハーヴェイ・オズワルドもまた警察署内で、ダラスのマフィアであったジャック・ルビーに射殺されてしまう。

ケネディ暗殺の根本的な要因は「ドル」問題である。ケネディは、ハザールマフィアのアメリカ支配の要である、「ドル発行権」を国家に取り戻そうとしていた。ＦＲＢ（連邦準備制度理事会）が管理する「ドルシステム」に反旗を翻したことこそが、ケネディ暗殺の本当の理由なのである。ＦＲＢがケネディ暗殺の指令を出し、ブッシュ一族を含む実行部隊が指揮を執って暗殺を成し遂げたのである。

話は第二次世界大戦中にさかのぼる。1944年7月にアメリカのドルを基軸とした固定為替相場制を定めた、いわゆるブレトン・ウッズ体制が成立した。このとき、「戦後、戦争で疲弊したアジアやアフリカの復興の手助けをする」という約束の下、アジアの王族がアメリカにドルの裏付けとなる大量の金を渡す。しかし、戦後、その金はマーシャルプラン（共産圏拡大を防ぐ経済支援）の資金とされ、ヨーロッパや日本の復興のみに当てられる。約束は反故にされてしまったのだ。

アメリカに失望したアジアの王族は、アジアやアフリカの復興、発展を目指すため、独自の通貨を発行しようと動きだす。その基礎となったのが、1955年、東西冷戦に参加しなかった非同盟諸国167カ国間で締結された「グリーン・ヒルトン・メモリアル」条約である。

この条約は、それぞれの国から資金を募り、ドルに代わる独自の金融システムにより通貨を発行するというものである。現在、脱ドルシステムを図る中国のAIIB構想と非常によく似た動きだ。また、条約加盟国が、世界にある金など実質的な価値を持つ資産の85%を保有していたとされる点も、現在の欧米とアジアとの関係に似ている。

一方、ケネディは、FRB支配から切り離した新たな政府紙幣、いわば「ケネディドル」の発行を目論む。ケネディがFRBに反旗を翻したのは、キューバ危機に際して、FRBの株主であるハザールマフィアが「ハルマゲドン（最終戦争）」を計画していることを知ったためである。世界経済を支配しているハザールマフィアが、同時に世界滅亡を目論んでいるという現実に強い危機感を覚えたのである。

そして、ケネディドルという政府紙幣を接点として、ケネディ政権と「グリーン・ヒルトン・メモリアル」陣営が手を組むことになったのだ。

その後、ケネディドルの裏付けとなる金をはじめとした貴金属が「グリーン・ヒルトン・メモリアル」加盟国から集められる。その14万トンに及ぶ貴金属を管理し、自らも大量の金を供出したのが、当時のインドネシア大統領スカルノであった。

1962年、スカルノがケネディに金を託した際に調印された極秘文書「グリーン・ヒルトン・メモリアル・ビルディング・ジュネーブ」は、私も直接この目で確認している。そこには確かにケネディとスカルノのサインがされていた。

そして1963年6月4日、FRBの関与しない政府紙幣の発行を命じる大統領行政命令「第11110号」が発令される。発行量は3億ドル分というテスト的なものであった。

ちなみに、ケネディドルのデザインはFRB発行のドル紙幣とほぼ同じデザインだったが、FRBのマークを取り除き、その箇所に「United States Note（政府券）」と印刷したものであった。FRBやハザールマフィアに対するケネディの徹底抗戦の姿勢が感じられる。

しかし、ケネディドル発行のわずか5カ月後、ケネディは凶弾に倒れてしまう。暗殺事件後、発行済みのケネディドルは財務省の手で速やかに回収された。

スカルノもまた「謎のクーデター」により失脚し、スカルノがケネディに託した莫大な金もまた闇に消え去ってしまったのである。

トランプが暴く「ケネディ暗殺」の黒幕

ケネディ暗殺が、オズワルドによる単独犯であるとすることに、長い間、さまざまな角度から疑問が持たれてきた。そして、いくつかの有力な実行犯説が浮上した。ＣＩＡ説、キューバのマフィア説、亡命キューバ人説、さらにケネディと大統領選を争った政敵、リチャード・ニクソンもまた大きな疑惑が持たれた一人である。

そして、それらの有力な説は、すべてブッシュ一族とつながっていく。

当時、ＣＩＡにパパ・ブッシュが関わっていたことはすでに述べた。ＣＩＡはキューバのカストロ政権の転覆を狙っていた。そして、ＣＩＡの手先として動いていたのが、反カストロ派であるキューバのマフィアと亡命キューバ人なのだ。

ニクソンとブッシュ一族を結ぶ糸はさらに太い。ニクソンは、ブッシュ一族の意向で動く駒であったといわれている。貧しい家庭の育ちであったニクソンが政界入りできたのは、プレスコットの手引きによるものだ。後に、ドワイト・アイゼンハワー政権で若くして副大統領となるニクソンだが、その座を用意したのもプレスコットであったという。

そして70年代、ニクソン政権で要職に就き、大統領への道を進んだのがパパ・ブッシュだ。そのニクソンとケネディ暗殺は、前述したオズワルドを射殺したジャック・ルビーで結び付く。マフィアとの関係が深く、その勢力を政略にも用いていたとされるニクソンだが、ジャック・ルビーも、その手先の一人であったという。

事件前にジャックがワシントンにあるニクソンの事務所に出入りしていたことが、後にＦＢＩの公開資料で明らかになった。ちなみに、ニクソンはケネディが暗殺される3時間前まで、事件現場となったダラスに滞在していたことが確認されている。

ＣＩＡやＦＢＩなどにより綿密な調査が行われたケネディ暗殺だが、調査文書は長らくトップシークレットとして未公開にされてきた。しかし、ハザールマフィア討伐の一環としてトランプは、２０１７年に大量の「ケネディ暗殺」未公開文書公開へと踏み切った。

ＣＩＡ（組織内にいるブッシュ一派の残党）は一部ファイルの公開をあと25年遅らせるよう要請していたが、トランプは「さらなる情報を受け取るために、私は大統領として、長年公開を阻まれ機密扱いにされてきたＪＦＫファイルを公開する」とツイートに投稿して、ＣＩＡの要請を却下した。

２０１７年７月に３８１０点、10月には２８９１点、11月には６７６点のＣＩＡの資料を中心とする機密文書が公開された。

アメリカ軍上層部筋によると、機密文書の中には、ケネディ暗殺にシオニストのリーダーで、当時イスラエル首相であったダヴィド・ベン＝グリオンの関与を示すものもあるという。

しかし、そのような衝撃的な資料について、メディアはまったく報じていない。しかも、この情報はネット上でも固く封印されている模様だ。

さらに、一部文書の公開が先送りされ、存命している人物の個人情報については黒く塗り潰されるなど、全面公開を阻む妨害工作が続いている。しかし、各国の当局筋の間では、暗殺実行犯の黒幕の一人がパパ・ブッシュであることは、すでに公然の事実となっている。

こうした状況に、ブッシュ一族は神経質な反応を見せている。

従来、アメリカでは「大統領経験者は、現役の大統領を公に非難しない」という慣習があるのだが、ベイビー・ブッシュは演説内で「偏狭さが助長されているようだ。我々の政治は、陰謀論やまったくの作り話の影響に弱くなっているように見える」、「偏狭さや白人至上主義はどのような形であれ、アメリカの信条に対する冒瀆だ」と、名前こそ出さなかったが、明らかにトランプへの非難と取れる発言をしている。

産油国を支配する植民地企業「メジャー」

ケネディ暗殺後、アメリカ国内での勢力を盤石にしたブッシュ一族は、ナチス派ハザールマフィアの中枢として勢力を拡大させていく。

70年代から各政権でCIA長官や副大統領を歴任したパパ・ブッシュは、国務省を司令塔としてCIAとアメリカ軍特殊部隊への支配を強めていく。一方、ブッシュ一族の手駒であったニクソン大統領に「ニクソンショック」を断行させて、「金本位制ドル」から「石油本位制ドル」へと移行させる。

その上で、ヨーロッパ列強が支配したアジア・アフリカの旧植民地に狙いを定め、産油国の原油ルート支配へと乗り出す。典型的な手口はこうだ。

①ブッシュ一族の手先であるナチス派CIAやギャングを産油国に送り込む。

②反政府ゲリラを煽動、または反政府ゲリラに化けてクーデターを仕掛ける。
③内戦により治安を悪化させ、国際世論を誘導して、アメリカ軍が介入する。
④産油国の国内市場がボロボロになり、通貨価値が下がったところで、インフラその他をドルで買い叩き経済的に支配する。
⑤軍事力を背景に原油ルートを押さえて、アメリカ主導で原油価格をコントロールする。
⑥原油価格が不安定になり、ドルの危機が迫ると、再び産油国に……（①に戻る）。

このような産油国の支配に一役買うのが、「メジャー」と呼ばれる巨大企業複合体である。メジャーは、第二次世界大戦後、世界中で植民地経営をしていたヨーロッパ諸国の企業と、旧植民地諸国で経済的な支配力を強めたアメリカのグローバル企業が融合して誕生する。そして、ハザールマフィアが軍事力で圧力をかけ、メジャーが資本管理で統治するという連携スタイルが確立した。

その際に用いられるのが、先に述べたように、「ヤラセ」のクーデターやテロを起こし、アメリカ軍が介入した後、軍事力と経済力をもって支配する手口だ。

この手口の典型例の一つが、1953年8月に起きたイランのクーデターである。イランで独立派のモハマド・モサデク政権がクーデターにより倒され、親欧米派の政権が樹立された。

しかし、２０１３年に公開されたアメリカの機密文書によって、このクーデターにＣＩＡやイギリスの秘密情報機関が関与していた事実が明らかとなる。

ハザールマフィアの手先であったＣＩＡやイギリスの秘密情報機関が、犯罪者やマフィアなどを「反政府勢力」に扮装させて、偽のクーデターを起こさせる。そして軍がそれを鎮圧すると同時に、モサデクを逮捕して、メジャーの傀儡政権を樹立したのである。

戦後、ハザールマフィアは世界各地でこのような手法を繰り返し使ってきた。中東、アジア各国で、同種の「反政府勢力」によるテロやクーデターが頻発した事例が何よりの証拠である。

「９・11テロ」で金返還の要求を拒絶

２００１年、パパ・ブッシュの長男、ベイビー・ブッシュが大統領の座に納まった。

パパ・ブッシュの代表的な犯罪がケネディ暗殺ならば、ベイビー・ブッシュもまた父親に引けを取らない犯罪を行っている。

２００１年の「９・11テロ」である。

ケネディ暗殺と、アメリカが借りていたアジアの王族の金との関わりについては、先に述べた。9・11テロでもまた、二つの「金」が関係している。

一つ目の金は、1938年にアメリカが中国の大富豪から米国債を担保に借りた戦艦7隻分の金である。返還の期限は60年後とされていた。しかし、その期限である1998年になっても、アメリカは金を返還しようとしなかった。大富豪の子孫の訴えを受けて、裏の権力者たちの協議と決定により返還命令が下された。その1回目の金の受け渡し予定日が、まさに9・11テロの翌日、2001年9月12日であったのだ。

そして、金の保管場所こそが世界貿易センタービル地下の金庫であり、受け渡し場所とされたのが、爆破された世界貿易センタービル北棟の101階から105階にオフィスのあった証券会社、カンター・フィッツジェラルド証券であった。さらに、受け渡し責任者にはベイビー・ブッシュが予定されていた。

返還する予定であった金は「テロにより吹っ飛んだので返還できない」と、うやむやにされてしまう。さらに、念が入ったことに、この金の借用に関する財務書類が保管されていた第7ビルも、また金の返還の件を捜査していた関係当局の入ったペンタゴン本庁舎も、このテロにより倒壊している。

そして、カンター・フィッツジェラルド証券には、2001年9月12日が償還期限である巨額の債券があった。ブレディ債券と呼ばれる、アメリカの銀行が南米投資で出した多大な焦げ付きをまとめた債券である。クズ同然の債券だが償還額は１２００億ドルに達していた。

この債券の担保である１２００億ドル相当分の金もまた、世界貿易センタービル地下の金庫に保管されているとされていた。しかし、この二つ目の金もビルごと跡形もなく消えた、という話にされてしまう。ちなみに、このブレディ債券を売りさばいた銀行を所有していたのは、ナチス派ハザールマフィアの重鎮・ロックフェラー一族である。

９・11テロに関連した不可解な「カネ」の動きは、まだまだある。

世界貿易センタービルに自社機が突っ込んだユナイテッド・エアラインの株価は、当然42％減と暴落した。事件後、カルフォリニア州の日刊紙「サンフランシスコ・クロニクル」は、この株価暴落を見越したと思われる巨大なインサイダー取引が行われた形跡があると報じた。

その取引とはユナイテッド・エアラインのプットオプション（対象となる商品を、期日までに決められた価格で売る権利）であり、取引利益は５００万ドル以上であったとされる。そして、取引の３年前までオプションを行使した証券会社の経営責任者に名を連ねていたのは、アルビン・バーナード・クロンガードというＣＩＡの幹部であった人物である。さらに、アルビンは、ブッシュ一族の私兵の色合いが強い民間軍事会社、ブラックウォーター（現アカデミ）とも関わりがあるとされている。

「9・11テロ捜査」と「使途不明金21兆ドル」

事件発生直後から多くの専門家や一般市民が疑いの目を向けているように、9・11テロは完全なる「自作自演」である。

一つ目の目的が、先に述べた莫大な負債であった金の返還の帳消し。

二つ目の目的が、イスラム過激派を事件の首謀者と断定して「対テロ戦争」の口実を作り、石油利権を拡大するべく中東に侵攻するためである。ハザールマフィアはサウジアラビアに武器を提供し、その武器を間接的に「偽イスラム」のテロリストたちに渡す裏で、「テロリスト許すまじ」と戦争を仕掛ける大義名分を作り上げたのである。9・11から対テロ戦争に至る過程には、ハザールマフィアのいつもの手口が見え隠れする。

ベイビー・ブッシュがイラク侵攻を開始した2003年、テロの遺族である400家族が「事件を引き起こしたのは大統領である」として、ベイビー・ブッシュに対して合同で訴訟を起こした。ブッシュ一族はその裁判の正当性すら認めておらず、その後、裁判自体も進まないまま政府によってうやむやにされてしまった。

しかし、テロ発生から長い月日が経った現在、世界でハザールマフィアの勢力が弱まるにつれて、ようやく状況が変わりつつある。

例えば、サウジアラビア政府の要人が「9・11のテロ首謀者とされる人物」と密接なつながりを持っていたことなどが、一般の欧米メディアでも報じられるようになってきたのだ。

さらに、こうした動きを象徴する出来事がサウジアラビアで起きる。

2017年11月4日、サウジアラビアの王族や閣僚、企業家たちが相次いで逮捕されたのだ。マスコミで報じられた容疑は1000億ドルに及ぶ汚職や横領の疑いである。しかし、ペンタゴン筋など複数の情報源によれば、逮捕の主要な目的は9・11テロの捜査である。

9・11テロへの関与の疑いがある者は尋問にかけられ、拷問などにより自白を始めているという。9・11テロとブッシュ一族との関わりも、少しずつ明らかになっているという。

また、逮捕者の中にはバンダル・ビン・スルタン王子もいると報じられた。バンダルは、「バンダル・ブッシュ」と呼ばれるほど、ブッシュ一族と懇意であった人物だ。また、ベイビー・ブッシュ政権で副大統領、国防長官を歴任し、「9・11テロの影の主犯」ともいわれているディック・チェイニーとも非常に親しい関係にあった。

多くの情報源が「バンダル王子も9・11テロに深く関与していた」と断言している。さらにバンダル王子は、1986年の「イラン・コントラ事件」、2010年から2012年にかけて起きた「アラブの春」などへの関与も疑われている。

ＮＳＡ筋などの情報によると、この大量逮捕後、「ロスチャイルド一族などを中心としたハザールマフィアへの献金に使われていたサウジアラビアの富豪らの銀行口座が、２０００以上にわたって凍結された」という。

また、アメリカの国家予算からハザールマフィアに流出したと疑われるカネへの追及も始まっている。

２０１８年12月7日に開かれた記者会見において、ペンタゴンはこの使途不明金の行方を追うために、外部の会計士を雇い、過去最大規模の監査に乗り出すことを発表した。その後、１９９８年から２０１５年までに軍事予算を主とする政府予算から、21兆ドル分の資金が使途不明金として流出しているという監査結果が発表された。

ペンタゴン筋からの情報によれば、現在、ベイビー・ブッシュ政権で国防長官を務めたドナルド・ラムズフェルドが、隠蔽されたさまざまな情報について話し始めているという。

またＣＩＡ筋は、使途不明金の流れた先として、ハザールマフィアの私兵と化している「民間の軍事会社」や目的不明の「極秘の宇宙プログラム」などの可能性を上げている。

そして２０１８年11月30日には、パパ・ブッシュの死去が公表された。死因は明らかにされておらず、実際には、２０１８年の夏前には死んでいたという情報もある。老衰ではなく「処

「ナチス派ハザールマフィア」として
アメリカを支配したブッシュ一族

ホワイトハウスにて記念撮影に臨むブッシュ一族。前列右から2番目がパパ・ブッシュ、4番目はベイビー・ブッシュ。ブッシュ一族は、ナチス残党とのつながりを足がかりに麻薬ビジネスで莫大な利益を上げ、ナチス派ハザールマフィアとして親子2代で大統領を輩出するまでの権力を手中にする。

刑」であった可能性も高い。

ナチス派ハザールマフィアの中枢で、親子3代にわたり暗躍してきたブッシュ一族。現在、彼らの悪行の数々が、白日の下で裁かれつつある。

「利権ビジネス」で金儲け「クリントン夫婦の錬金術」

ブッシュ一族が世界を支配するために用いたのが、アメリカの軍事力を背景とした「暴力ビジネス」であった。それに対して、クリントン一族が得意としたのが、アメリカの司法権力を背景とした「利権ビジネス」である。

一見、ブッシュ一族よりは上品に思えるが、内実は下劣そのものである。

最初に、ビルとヒラリーの夫婦二人による「クリントン流の錬金術」の仕組みを紹介しよう。
①夫ビルが元大統領の肩書を使って世界中で講演し、巨額の報酬を受け取る。
②講演先の国々で実業家などと会合し、ビジネスに関する相談を受ける。

③上院議員、後には国務長官となった妻ヒラリーの権限で、そのビジネスに関わる行政・法律上の認可を下す。
④それに前後して巨額の寄付金がクリントン財団に送られる。
※①～④の順は入れ替わることもある。

ヒラリーが外国の政府や企業、実業家に対してアメリカ政府による政治的優遇を与える。その見返りに受け取るのが、個人としてはビルの講演料、法人としてはクリントン財団への寄付である。

クリントン財団はビルが主宰する慈善団体で、大統領退任後の2001年に発足した。しかし、疑惑の的となっているクリントン財団には、「クリントン大統領記念図書館」建設の資金集めを名目とした前身団体が大統領在任中から存在していた。

ヒラリーの国務長官時代のロシア疑惑や、ハイチ復興の問題が取り沙汰されることが多いが、クリントン一族の政務と私的なカネとの境界が曖昧な体質は、ビルの大統領在任中から問題視されていた。

1999年、シカゴの弁護士が前身団体「クリントン図書館」に100万ドルを寄付。その後、クリントン政権下の司法省は同弁護士の虚偽疑惑に対する訴追を取りやめる。

同年、バドワイザーで有名なアメリカ大手ビール製造会社アンハイザー・ブッシュがクリントン図書館に100万ドルを寄付。同時期にクリントン政権は、未成年の飲酒防止のために推進されていた酒類の広告規制を取り下げている。

極め付きは、第2章でも触れた、大物投資家マーク・リッチへの恩赦である。

リッチは、脱税や不正な石油取引でアメリカ当局により有罪判決が下され、スイスで逃亡生活をしていた。そのような稀代の相場師に対して、2001年1月、大統領任期最終日のドサクサに紛れて恩赦が強行される。

突然の恩赦の裏で、リッチの前妻デニス・リッチは、ヒラリーの上院議員選挙に10万ドル、クリントン図書館に45万ドル、民主党に100万ドルをそれぞれ寄付している。一部の良識派メディアから「金で恩赦を売ったのか」と批判が上がった。

ビルの大統領退任後の2001年、ヒラリーは上院議員となり、政界に進出。そして2008年バラク・オバマ政権下で、国務長官の座を手に入れる。国務長官は外交のみならず通商や国家行事も統括する重要ポスト。諸外国の外相と比べて格段に強い権限を持っている。クリントン一族の「利権ビジネス」にはまさにうってつけであった。

国務省を支配する方法として、ヒラリーが使ったのが「特別政府職員（SGE）制度」である。

本来は、大学の教授などが本業を続けながら、国政へのアドバイザーも兼務できるように作られた制度だったが、ヒラリーが身の回りに置いたのは、クリントン財団の関係者ばかりであった。子飼いの者を配して権力の強化を図ったのである。

そして、ヒラリーの国務長官時代に、クリントン夫妻のタッグプレイは黄金期を迎える。ヒラリーが国務長官だった3年間に、ビルの元には、一度の報酬が25万ドル以上という高額の講演依頼がいくつも舞い込んだ。

同時期、クリントン財団は、ヒラリー長官が面会した半数以上に相当する85人から1億5600万ドルもの寄付金を受け取っている。

そして、ワシントンポストによれば、2001年から2012年までのクリントン夫妻の総所得は、なんと1億3650万ドルに達したとされる。

アメリカの法律では、政治献金の限度額を設定して、寄付金額の情報公開を推進している。ヒラリーが国務長官のポストに就いた際も、任期中にはビルの報酬付きのすべての講演と、クリントン財団への寄付について、国務省倫理局の審査を受ける約束となっていた。だが、この約束はクリントン一族によって悪びれることなく堂々と反故にされた。

クリントン一族の「ロシア・ウラン利権」疑惑

クリントン一族は「売国奴」のそしりを免れない行為も繰り返してきた。クリントン一族とロシアのウラン事業との癒着である。その疑惑を理解するには、十数年前のカザフスタンまでさかのぼる必要がある。

2005年、頻繁にカザフスタンを訪れるようになったビルは、悪名高い独裁者、ヌルスルタン・ナザルバエフ大統領と、公式会談および私的なミーティングを重ねるようになった。ビルが同国を訪問した表向きの理由は、HIV患者への援助活動である。しかし、実際にはカザフスタンにHIV患者など、ほとんど存在しなかった。

クリントンがカザフスタンに近づいた本当の理由は、同国の巨大なウラン鉱床と関係する。

クリントン一族のウラン事業利権のキーパーソンとなったのは、カナダの鉱業界の大物、フランク・ギウストラである。カナダ鉱業株のインサイダー取引の噂もある、いわく付きの男だ。2006年のニューヨーカー誌の取材で、ギウストラは「自分はほぼすべてをビル・クリントンに賭けている」と、あけすけともいえる本音を述べている。

クリントン一族とギウストラは、CGSGI（クリントン・ギウストラ・持続可能な成長イニシアチブ）という、うさん臭い名称の組織を作る。

ギウストラは、鉱業に関してはベテランであったが、ウラン事業に関しては未経験であった。そのようなギウストラが作ったペーパーカンパニー、ユーラシア・エナジー社が、カザフスタンの国有原子力公社カザトムプロムとの取引権を取得した。裏には、もちろんナザルバエフの強い支持があったことは想像に難くない。

2007年、ギウストラはユーラシア・エナジー社を、カナダに拠点を置くウラン採掘企業ウラニウム・ワンに吸収合併させる。国有原子力公社の主要取引企業の合併には、当然、カザフスタン政府の承認が必要であったが、ここで当時上院議員であったヒラリーの力が発揮された。ヒラリーがカザフスタン政府の高官にこの取引の保証を迫ったと、のちにカザトムプロム社長が証言をしている。

そして、2008年から2009年にかけて、ギウストラはクリントン財団に3130万ドルを寄付。さらには、それ以降のウラン事業による収益の半分を財団に寄付することを約束した。カザフスタンのウラン事業絡みで財団が得た寄付金の総額は、1億4500万ドルに及ぶといわれている。

その後、カザフスタンのウラン利権獲得に成功したクリントン一族は、同種のビジネスをアフリカのコンゴ、エチオピア、スーダン、さらに南米のコロンビアなどでも展開している。

売国団体「クリントン財団」に
FBIが捜査のメス

その後、カザフスタンのウラン採掘権を得たウラニウム・ワンに対して、ロシアが動きを見せる。

2010年、ロシアの原子力事業を統括する国営原子力企業ロスアトムが、ウラニウム・ワンの株式の過半数52％を取得するという計画を発表した。同年10月22日、この過半数取得に対して、ヒラリー国務長官が中心メンバーであるCFIUS（対米外国投資委員会）が承認を与えた。

もともとヒラリーは、CFIUSの中では、アメリカの戦略的資産を海外へ売却することに反対の意向を示していた。しかし、ビルとクリントン財団が関わるウラニウム・ワンの件については、この従来の意向は忘れ去って承認を支持している。

さらに2011年1月12日、ヒラリーは、オバマを後押しして、2008年に締結されながら凍結されていた米ロ原子力平和利用協定を発効させる。この協定は、後にロシアがウラニウム・ワンの支配権を強めていく強力なバックボーンとなった。

その後、ロスアトムはウラニウム・ワンの支配権を100％得る。そして、2015年までにウラニウム・ワンはアメリカのウラン生産量の半分をコントロールするほどになる。

ロシア政府からは、サリダ・キャピタルというロスアトムの系列会社の疑いがある投資会社を通して、2010年から2012年の間にクリントン財団に対して数百万ドル規模の寄付があったとされている。

さらに、ロスアトムは株所有権移行の際に、数百万ドルに及ぶ株価の32％のプレミアムをウラニウム・ワン社長イアン・テルファーら株主に与え、その裏でイアンはカナダの事業体とCGSGIをトンネルとして、クリントン財団に235万ドルを寄付している。

このクリントン一族のロシア疑惑を大手メディアは無視し続けた。トランプはツイッターで「クリントンが協力し、オバマ政権も容認していたロシアとのウラン取引は、フェイクメディアがもっとも扱いたがらないストーリーだ！」と怒りをあらわにした。

トランプ政権誕生後、クリントン一族の不正疑惑に対して捜査のメスが入るようになった。

クリントン元米大統領や夫人のヒラリー元国務長官が運営する慈善団体「クリントン財団」

をめぐり、連邦捜査局（FBI）や連邦検察が汚職疑惑の捜査を加速させていることが6日までに分かった。この問題について報告を受けた米当局者が明らかにした。（略）

当時アラバマ上院議員だったセッションズ司法長官は選挙期間中、ヒラリー氏が国務長官としての高い地位を利用して外国政府から財団への献金などを「ゆすり取っていた」と主張。ヒラリー氏の広報担当者は汚職疑惑を否定していた。

（「CNN」インターネット版　2018年1月6日付）

複数の筋からの情報を総合すると、一連の疑惑において、クリントン夫妻が正式に刑事告訴される日はそう遠くないと予想される。

「ハイチ地震復興」に群がるクリントンの取り巻き

夫ビルが海外の政府や企業との事業を進めて、妻ヒラリーがアメリカの国政からそれをバックアップする。ウラン利権をめぐるロシア疑惑ではクリントン一族の典型的なビジネスが行われてきた。しかし、それは彼らのビジネスの一部にすぎない。

世界各地の国策事業と関わる企業は、多かれ少なかれクリントン財団と関わりを持っていたといわれる。クリントン一族による「利権ビジネス」はグローバルに行われてきたのだ。

その中でも「ハイチ地震復興事業」は非常に醜悪なビジネスであった。

２０１０年1月12日、ハイチ共和国をマグニチュード7の巨大地震が襲った。死者31万６０００人に達した空前の災害であった。地震後、住居を失い、テント暮らしを余儀なくされた国民は１５０万人に達した。

地震の揺れが収まった数日後に、それぞれハイチに降り立ったビルとヒラリーは、アメリカ国民の税金を使った巨大な「復興ビジネス」を開始した。

まず、ヒラリーが主導するＵＳＡＩＤ（米国際開発庁）が、アメリカからの支援の使い道を決定する。その決定を元に計画を推進する機関、ＩＨＲＣ（ハイチ復興暫定委員会）が創設された。そして、IHRC共同委員長に任命されたのは、当然のようにヒラリーの夫、ビルであった。その後、実質上、ＩＨＲＣはクリントン財団の支配下に置かれる。

ハイチの復興事業に関わる汚職は、このＩＨＲＣとＰＡＯ（汚職防止局）によってチェックされるというシステムだったが、ＰＡＯにたった一人の職員が雇われるまでに11カ月もかかっている。ハイチの復興事業は妻ヒラリーが決めて、夫ビルがチェックするという、誰の目を持ってしても明らかな「ザル」体制であった。

そしてこのビジネスに、クリントン一族の取り巻きが群がって参加した。

2013年にジャマイカやアイルランドでのビルの講演を段取りした、アイルランドの大富豪デニス・オブライエンは、ハイチ復興助成金を元手に携帯電話事業を展開する。そして、地震から3年後、ハイチの携帯電話市場の77％を押さえることとなる。

USAIDから、200億ドル相当と試算されるハイチの鉱石資源を採掘する許可を得た会社が二つあった。そのうちの一社は、ノースカロライナ州に設立されて間もない小さな企業、VCS鉱業社であった。そして、同社の理事会メンバーの座には、ヒラリーの一番下の弟が就いている。ちなみに、この採掘によるハイチ政府のロイヤリティは通常よりも格段に低い2・5％に抑えられていた。

ビルが主宰するもう一つの慈善団体「クリントン・グローバル・イニシアチブ（CGI）」の支援者だった、ニューヨークのダルバーグ国際開発顧問団は、地震で家屋を失った人々に移住先を探す事業を行った。しかし、移住先の一部は、建設費をケチったのか、険しい崖のすぐ側であった。地震被害者にあてがう移住地として、ここまで不適切な場所もないだろう。

ハイチにおけるクリントン一族の復興ビジネスには、不気味な後日談がある。

2017年7月11日、クリントン財団と夫妻の不正を証言する予定だったハイチの元政府高官クラウス・イーバーワインが、変死体で発見されたのだ。数々の「犯罪」が明らかになるはずだったが、死人に口なし。もちろんクラウスの死因もやぶの中である。

クリントン一族周辺を嗅ぎ回っていた人間が、ある日突然消えるのは珍しい話ではない。一説には、彼らに関連して消えた人間の数は、200人に上るともいわれている。

ヒラリーの「不正選挙疑惑」と「怪死事件」

トランプと大統領の座を争った選挙でのヒラリーの不正についても、現在、次々と暴露が行われている。

大統領選中にDNC（民主党全国委員会）の暫定委員長を務めていたドナ・ブラジルは著書で、クリントン一族が民主党を私物化し、同党の予備選挙は、ヒラリーに有利に働くよう仕組まれていたと告発している。

著書によれば、ヒラリーが民主党の大統領候補に指名される約1年前の2015年8月に、クリントン一族が同党の負債を肩代わりして、党の財政およびDNCの実質支配権を獲得したのだという。この疑惑の真偽について、CNNの取材を受けた民主党のエリザベス・ウォーレン上院議員は、即座に「Yes!」と認めている。

しかし、この疑惑に関しても、アメリカの三大イブニング・ニュース番組「ABCワールド・ニュース・トゥナイト」「NBCナイトリーニュース」「CBSイブニングニュース」は、足並みをそろえるように報道しなかった。代わりに3番組が報じていたのは、トランプの「ロシア疑惑」を弾劾するニュースであった。

この偏向報道に対して、トランプは「民主党の候補者選びが操作されていた一件は、ここ数年の間でも最大の政治事件の一つだが、昨夜の嘘つきニュース・ネットワークではまったく報道されなかった。けしからん！」とツイッターで強く非難した。

そのトランプ政権は、「大統領選中、ヒラリーがFBIなどの捜査当局に対してトランプのロシア疑惑の調査として、トランプ陣営の選挙スタッフに（盗聴や盗撮などの）違法捜査を命じていた」という疑惑も調査している。

2018年1月29日、トランプ政権は、ヒラリーの不正行為の証拠となり得る「疑惑のメモ」を一般公開した。このメモが正式に一般公開されたことで、FBIや司法省、そして民主党の多くの幹部らを刑事告訴することが可能になったのだ。

メモが公開された直後の1月31日、「疑惑のメモ」公開に賛成票を投じた共和党議員たちを乗せた列車とゴミ収集のトラックが衝突するという「事故」が起きた。

米バージニア州クローゼーで31日、ウェストバージニア州の保養施設に向かっていた上下両院の共和党議員数十人を乗せた列車が、線路上のごみ収集車に衝突し、1人が死亡、議員1人が病院に搬送された。当局が明らかにした。

議員らは3日間にわたって開催される年次懇親会に参加するため、高速鉄道「アムトラック」の旅客列車で首都ワシントン西郊の保養施設へと向かっていた。

（「AFP BB NEWS」 2018年2月1日付）

複数の情報筋によれば、これは、メモの一般公開に対する報復である可能性が高い。

選挙期間中にさかのぼれば、クリントン一族周辺で不自然な事故や事件が相次いで起きていた。

元国連総会議長のジョン・アッシュ。2016年6月22日に、ニューヨークの自宅で死去したと報じられている。死因は心臓麻痺という情報と、ベンチプレスのトレーニング中にバーベルを喉に落としたためという情報がある。この2日後、法廷でヒラリーに不利な証言をすると見られていた。

民主党全国委員会職員のセス・リッチ。同年7月10日、自宅近くにおいて銃で撃たれて死亡。ウィキリークスにヒラリーのメール情報を漏らしていたとささやかれる人物だった。弁護士のショーン・ルーカス。民主党候補者氏名争いでヒラリーに敗れたバーニー・サンダースの支持者代理人として、同党に対して集団訴訟を起こしていた。同年8月2日にバスルームで死亡しているのが発見された。

このように、なぜかヒラリーにとって都合の悪そうな人間ばかりが短期間に死亡しているのだ。わずか1カ月ほどの間に5人が死亡することもあった。これらはほんの一部であり、選挙期間中だけでも、ヒラリー周辺で「怪死」と指摘されている人物は数十人に及ぶ。今後、選挙中にヒラリーが行った不正への追及が強まれば、新たな「怪死」が相次ぐかもしれない。

ヒラリーの足に装着された「逃亡防止用GPS」

アメリカ当局の手は、確実にヒラリーに及んでいる。

2017年後半、ヒラリーが足のけがを理由に、ギプス用のウォーキングシューズを履いている姿が報じられた。

しかし情報筋によれば、実際は足のケガが原因ではない。逃亡できないように足に監視用のＧＰＳを付けられ、それを隠すためにギプスを履いていたのだ。

ヒラリーのギプスの理由について、大手マスコミは「階段を踏み外して足にけがをした」と報じていたが、ギプス着用期間が数カ月に及ぶにつれて、けがという理由に疑問が持たれるようになった。

２０１８年3月には、ヒラリーがインド訪問中に、今度は右手を骨折したと報じられた。さすがに「足のけが」で引っ張るのは無理があると判断して、ＧＰＳの装着箇所を右手へと移動したようである。

ヒラリーには「悪魔崇拝」に関連した疑惑も噴出している。

イタリア国営放送（ＲＡＩ・イタリア放送協会）会長のマルセロ・フォアが発信した「ヒラリー・クリントンが悪魔崇拝の晩餐会に出席」という記事について、その証拠映像が見つかった。ニューヨーク警察筋によると、その映像は、ヒラリー最側近の第一秘書フーマ・アベディンの別れた夫であるアンソニー・ウィーナー元下院議員のパソコンの中に「life insurance（生命保険）」というフォルダ名で保存されていたという。その内容は、「ヒラリーとアベディンが少女の顔の皮膚を剥いでそれをお面のようにして自分たちの顔に被せ、その姿を見せて少女を恐怖に陥れた挙句、最後は2人が少女を殺して、その血を飲む」という凄惨なものだった。

しかし、不可解なことだが、2019年6月、その映像を押収したニューヨーク警察署の警官が、たった3週間のうちに立て続けに4人、自殺している。またもヒラリー周辺で怪死者が続出しているのだ。

ところで、そもそも論となってしまうが、クリントン夫妻は、なぜアメリカ権力のトップへと駆け上がり、一代で巨万の富を築くことができたのだろうか。

出生の3カ月前に実の父親をなくし、看護師の母親と、アルコール依存症の義父に虐待されて育ったとされているビル。不遇な環境から弁護士となり、ついには若くしてアメリカ大統領に駆け上がるという、まさに「アメリカンドリーム」を体現したような半生である。

一方、衣料品店の娘として生まれたヒラリーも、庶民から同じく弁護士を経て、大統領夫人にまで登り詰めるといったシンデレラストーリーの主人公である。

大統領当時から現在に至るまで、クリントン夫妻に「アメリカンドリーム」を感じている人々も多いかもしれない。

しかし、この2人が「一代」で立身した人物でなかったら、どうであろうか。

回りくどい言い方をしたが結論を述べよう。複数の信頼できる筋から、ビル・クリントンは、ウィンスロップ・ロックフェラー（デイヴィッドの実兄）の隠し子、ヒラリー・クリントンは、ハザールマフィアの重要人物デイヴィッド・ロックフェラーの隠し子、という情報を得ている。

つまり、クリントン夫妻は、ロックフェラー一族のいとこ同士の夫婦ということとなる。

2人の立身出世の出来過ぎた経歴、そして手にした権力と富、さらにビジネスの手段の悪質さを鑑みると、「アメリカンドリーム」の体現者として見るよりは、ハザールマフィアの血筋の人間として見る方が現実的である。

さて、ペンタゴン筋からの情報によれば、2017年末から2018年にかけて、ブッシュ一族やクリントン一族の資産没収がすでに始まっているという。

さらに、両一族の逮捕に向けて、過去に数々の疑惑に関わった、ディック・チェイニー元副大統領をはじめ、2万2500人に及ぶ政界やCIA、FBI、司法省などの幹部や有力者が逮捕されているという。彼らは、キューバにあるアメリカ海軍グアンタナモ基地に連行されて厳しい尋問を受けているようだ。

複数の情報筋によれば、ベイビー・ブッシュ政権の元国防長官ドナルド・ラムズフェルドや、トランプ政権の元大統領補佐官マイケル・フリンなども司法取引に応じており、ブッシュ一族やクリントン一族をはじめとするハザールマフィアの不正を証言し始めているという。

ブッシュ一族、クリントン一族という、アメリカハザールマフィアの中枢に座した両一族が滅亡する日は、そう遠くないかもしれない。

第8章
安倍「売国」政権が奪う日本人の「資産と生命」
アベノミクスという名の「貧富拡大」政策

安倍政権を裏で操る「ジャパンハンドラーズ」が失脚

前章まで、現在、世界の権力構造が大きく変わりつつある情勢を見てきた。もちろん、この世界の流れは、日本の現状にも大きな影響を及ぼすものだ。

この章では、激動期を迎えている世界で、どうすれば日本、そして日本人が「生き残れる」のかについて考えてみよう。

現在、日本は一種の権力の空白期にある。今まで日本を裏から支配していたハザールマフィアの力が衰退し、それに代わる権力が確立されていないからである。

日本の裏の支配者とは、正確に言うと「ジャパンハンドラーズ」と呼ばれる面々である。彼らは手下に命令し、服従の見返りとして地位や権力を与えてきた。近年でいえば、安倍晋三首相にさまざまな指示を出してきた者たちである。その代表的な人物は2人いる。

まずは、ロスチャイルド一族の工作員マイケル・グリーン。戦略国際問題研究所（CSIS）副理事長であり、同組織の日本支部を本拠地として政治家や官僚をコントロールしてきた人物である。ちなみに小泉純一郎の次男で、将来の首相候補と持て囃される小泉進次郎などもCSISの出身である。

もう1人が、ブッシュ一族の工作員リチャード・アーミテージだ。

ベイビー・ブッシュ政権で国務副長官を務め、アメリカ軍内部に巣食うナチス派親衛隊の中心的存在である。極東部門に任じられて以降は、北朝鮮から日本の暴力団への覚せい剤ルートを管理して、裏社会を掌握し、そこからの情報などを用いて政治家や官僚を支配してきた人物だ。

そして近年、そのジャパンハンドラーズを管理していたのが、2015年に太平洋軍司令官に就任したハリー・B・ハリスである。

グリーン、アーミテージ、ハリスの3人が、近年の日本の「お目付け役」であった。

そしてハリスに対してアメリカ本土から指示を出していたのが、トランプ政権で国家安全保障問題担当大統領補佐官を務めていたハーバート・マクマスターである。ハザールマフィア側の人間だが、アメリカ国内でハザールマフィアが弱体化するとともに、政権内での力を失っていった。2018年3月22日、トランプはマクマスターの解任を発表している。

マクマスター解任で、残るジャパンハンドラーズたちの失脚も確実となった。彼らの失脚については、実は早い時期よりペンタゴン筋から情報が入ってきている。

2017年11月16日、ハリスから表敬訪問を受けた際に安倍は、グリーンとアーミテージが、すでに裏の権力の座を追われて横田基地に身を潜めていることを知らされた。ハザールマフィアの傀儡であった安倍政権は、完全に後ろ盾を失う状態となったのだ。

ではジャパンハンドラーズに代わり、トランプ政権が安倍の新たな後ろ盾になってくれるのか。答えは「ノー」だ。

2017年11月、日本を初訪問したトランプ大統領に安倍は、トランプの長女が主宰する「イバンカ基金」に57億円の拠出。さらに戦闘機やミサイルの武器購入など、少なく見積もっても1000億円に及ぶカネを渡した。

ハザールマフィアの息がかからない政権の誕生に慌てた安倍は、日本の資産を手みやげにトランプにもすり寄ったのだ。ハザールマフィアと、トランプおよびアメリカ軍のどちらに転んでも、自分の身が守られるように保険をかけたのだ。しかし、トランプとアメリカ軍から見れば、ハザールマフィアの犬であった安倍は、今はシッポを振っているとはいえ油断のできない存在だ。

例えば北朝鮮問題だが、アメリカ軍は、トランプが強硬論を叫んでいた2017年の当初から、北朝鮮と開戦する気はなかった。ただ、アメリカが従来から進めてきた対外政策として、「世界の脅威を煽る」ために北朝鮮問題を演出していただけである。

トランプはといえば大統領としての経験が浅く、その対外政策の裏側を熟知していなかった。

しかし、やがて北朝鮮問題が第2章で述べたような「お芝居」であることや、その手法が通用しなくなったことを理解していった。

だが、安倍は、かつてハザールマフィアに命じられたとおりに「第三次世界大戦」の計画に沿ったまま、馬鹿の一つ覚えのように「北朝鮮脅威論」を唱え続けていた。政治的な機微や空気をまったく読めない「スーパーKY総理大臣」である。

2018年に入り、北朝鮮問題は米朝首脳会談を足がかりに朝鮮半島和平に向けて動きだした。

世界にとって、いまだに反北朝鮮を固持する安倍は、百害あって一利なし。完全に不要な存在なのだ。北朝鮮問題についてアメリカ、中国、北朝鮮、韓国の間だけで話が進み、日本がまったくの蚊帳の外なのは、その表れなのである。

「安倍降ろし」と「森友・加計学園問題」の再燃

2018年、不要になった安倍を排除するために起きたのが、「森友・加計学園問題」の再燃である。

これは、世界で進行しているハザールマフィアに対する「戦犯裁判」の準備とも関係している。ペンタゴン筋からの情報によると、日本人のカネをハザールマフィアへ流す窓口であった安倍政権を潰すことが意図されているという。ハザールマフィアの収入源の一つを断ち切ろうというのだ。

さて、ここでいったん立ち止まって考えていただきたい。なぜ「森友・加計学園問題」なのだろうか。まずは、この問題における一連の流れを振り返ってみよう。

2017年、大阪府の学校法人「森友学園」への国有地売却をめぐり「売却価格が格安だった」と報道され、問題が発覚。鑑定価格より8億円も値引きされ、森友学園理事長と面識のあった安倍昭恵首相夫人の関与が取り沙汰される。

同年、岡山県の学校法人「加計学園」が愛媛県今治市に獣医学部を新設することを国が認めた。この手続きをめぐって、加計学園理事長の友人である安倍首相、あるいは首相側近による便宜供与があったとする疑惑が浮上。

2018年、森友学園への国有地売却に関する決裁文書を財務省が改ざんした事実が発覚。一度は収束しかけた「森友・加計学園問題」が再燃し、安倍政権の支持率が急落した。

このように2017年より連日のようにマスコミを騒がして、関係者に自殺者も出るまでに発展した問題だが、政権を揺るがす疑獄事件としては何だか「スケールが小さい」と感じたことはないだろうか。

その感覚は間違っていない。なぜなら、表のマスコミではこの問題の本質は報じられていないからである。では、その本質とは何か。それを理解するためには、数年前からの安倍の動きを見直す必要がある。

思い出してほしいのだが、2014年1月に開催されたダボス会議の演説で、安倍は名指しこそしなかったが、明らかに中国に対する強硬的な姿勢を示した。記者会見では、日中間の緊張を第一次世界大戦前のイギリスとドイツとの関係になぞらえ、喧嘩腰の発言を繰り返した。もちろん、第三次世界大戦を目論むハザールマフィアの意向をくんでのことだ。

そして、安倍は中国との戦争の準備を始める。集団的自衛権問題をクリアにするために、憲法改正を推し進めようとする。さらにその裏では、軍事力増強に力を入れていたのである。

右翼筋の情報によると、安倍が秘密裏に進めていた軍事力増強とは、一つ目は「中国上陸戦を目的とした大量の武器や物資を、極秘で熊本に結集させる」計画である。この計画は実行に移され、自衛隊基地地下に続々と武器・物資が集められていたという。

二つ目は「加計学園に獣医学部を新設して生物兵器の研究、開発をする」計画である。第二次世界大戦中の旧日本軍の秘密生物兵器開発機関、731部隊の再来である。

しかし、2016年4月14日、熊本地震が発生する。震度7が計測され、250人以上の死者を出し、被害総額4・6兆円にも上る大地震である。この地震により、九州に準備されていた大量の兵器は破壊されることとなった。右翼筋の情報によれば、この地震は中国当局の地震兵器によるものであった可能性が高い。近年、自衛隊駐屯地をはじめとする軍の施設を狙って地震兵器が使われるというパターンが続いているのである。第1章で触れたが、2018年に起きた北海道胆振東部地震でも震源地が自衛隊駐屯地の周辺であった。

そして2017年、森友・加計学園問題により、もう一方の生物兵器工場の計画も頓挫することとなった。

2018年、森友・加計学園問題を再燃させて、安倍降ろしを本格化させたのはアメリカの意向である。だが、実はアメリカに日本の政権交代を決意させた要因には、もう一つの事件が絡んでいるのだ。

2017年10月に発覚した大手鉄鋼メーカー「神戸製鋼所」の、品質に関するデータ改ざん問題である。

神戸製鋼所といえば、朝鮮戦争時の戦争特需によって巨大化した企業である。当然、アメリカの軍産複合体とも取引のある、ハザールマフィアの息のかかった軍需企業である。

ペンタゴン筋からの情報によると、アメリカ国内でアメリカ軍に勢力を奪われつつあるハザールマフィアが目論んだ「アメリカ軍機の品質を意図的に落とすための工作」こそが、このデータ改ざん問題の真相だという。

軍機という軍の生命線を脅かされて、アメリカ軍は日本国内のハザールマフィアとそのシンパへのパージを一気に加速した。その結果が、ジャパンハンドラーズ失脚、そして森友・加計学園問題の再燃という流れへとつながっていったのである。

ハゲタカファンドに買い叩かれた日本の金融機関

それでは、ハザールマフィアとその配下のジャパンハンドラーズ、そして安倍晋三のような操り人形たちが、どのようにして日本を食い潰してきたのかを見ていこう。その歴史とは、まさに、我々が今、直面しているマネーカースト（経済格差階級）が作り出されていった過程そのものである。

第4章で、1980年代に経済的に混迷したアメリカが、「プラザ合意」を押し付けて、対米貿易黒字が膨らんでいた日本からカネを巻き上げた経緯について詳述した。また、ハゲタカファンドが、「ＢＩＳ規制」によってマネーパワーを封じられた日本の金融機関や企業を支配していった過程にも触れた。

かつて、経済企画庁のコントロール下、官僚主導で国内経済が適切に管理されていた体制が崩壊したのである。

当時、アメリカがヘッジファンドを中心に「金融ギャンブル」へと乗り出していき、その果てに、サブプライムローンの破綻、リーマンショックが引き起こされたことも詳述した。

そして、１９９７年ごろから、ハザールマフィアによる日本経済支配の流れが本格化する。

その皮切りとなった象徴的な出来事が１９９７年11月に起きた「北海道拓殖銀行」の破綻である。バブル崩壊による不良債権急増が原因といわれているが、その実は日本の金融界を狙っていたハザールマフィアによって「生贄」にされたのである。

拓銀の破綻によって関連企業の連鎖倒産が起こり、その煽りを受けて日本のすべての金融機関が「ＢＩＳ規制」の基準を達成できなくなってしまった。

ＢＩＳ規制とは、「国際業務を行う銀行が８％の自己資本比率を満たせない場合、国際業務が不可となる」というものだ。第４章で述べたようにＢＩＳ（国際決済銀行）はハザールマフィアの所有物。ＢＩＳ規制が彼らの都合に合わせた取り決めなのはいうまでもない。

ＢＩＳ規制の基準を満たせなくなった日本の金融機関は、アジアから資金を引き上げざるを得ない状況となった。その結果、起こったのが「アジア通貨危機」と呼ばれる大々的な金融危機である。それを狙って仕掛けられた最初の一手が「拓銀潰し」だったのである。

タイをはじめとしてアジア各国で通貨の下落が起こり、アジア経済はボロボロになっていった。そのとき、インサイダー情報を基に、アジア各国の通貨に空売りを仕掛けて巨額の利益を得たのが、ハザールマフィアの犬、ジョージ・ソロスを含むヘッジファンドであった。

通貨危機で甚大な被害を受けたマレーシアのマハティール・モハマド首相は、「我々マレーシア国民は、国家建設のために40年間ずっと働いてきた。そこに一人の人物がやってきて1カ月ですべてを破壊してしまった。ジョージ・ソロスは、マレーシア経済に数十億ドルもの損失を与えた。損失回復には少なくとも数年かかるであろう」と、ソロスを名指しして、怒りをあらわにした。

日本国内でも、拓銀以外にも大手金融機関が次々と破綻してハザールマフィア系の金融機関の支配下へと取り込まれていった。日本経済の中枢へとハザールマフィアの手が入り込んでいったのである。

例えば、1998年に経営破綻した日本長期信用銀行は、8兆円もの日本人の税金を投じた上で潰れてしまう。その後、わずか10億円程度でハゲタカファンドに買収された挙句、新生銀行と名を変えた外資系銀行になってしまった。この売買によって、2200億円ものカネがハゲタカファンドに流れ込んでいったという。そしてそのハゲタカファンドを背後で操っていたのが、ハザールマフィア傘下の投資銀行、ゴールドマン・サックスである。

ハザールマフィアによる日本の金融支配が本格化した時期に、一人のキーパーソンが「拷問・惨殺」される。長らくハザールマフィアの意向に服従しなかった政治家、元首相の竹下登である。

当時大蔵大臣だった竹下は「プラザ合意」に反対し、さらにアメリカから押し付けられた米国債の売却も提案していた「国粋派」であった。そして、この米国債売却案が、ハザールマフィアの逆鱗に触れたのである。

2000年に膵臓がんで死亡したとされる竹下だが、本当の死因はそれとは異なる。これは公安筋など複数の情報筋から聞いた話だが、ハザールマフィアに殺された、それもかなり残忍な方法で殺害されたのである。

ハザールマフィアに拉致された竹下は、アラスカへと連れていかれた。そして全裸にされて薬物を注射され、ヘリコプターから吊るされるという拷問を受けた後、最後に睾丸を蹴り潰されて殺されたのである。

その拷問と惨殺の様子は映像に撮られて、日本の政治家や官僚に対する「脅し」として使われるようになったというのだ。その映像を見た者たちは、元首相にも恐るべき暴力を行使できるハザールマフィアに絶対的な恐怖を覚え、逆らう意思を完全に奪われたのである。

小泉政権「郵政民営化」で「350兆円」が海外流出

その後、ハザールマフィアにカネを貢ぐシステムを築き、運営するために作られた政権が、小泉政権と安倍政権である。

これらの政権で行われたのが、第1章でも触れた「2020年2000兆円収奪計画」である。その計画とは文字通り、2020年までに日本人の資産から2000兆円を収奪しようという計画だ。

ベイビー・ブッシュ政権の命令の下、小泉純一郎首相は、千兆円単位で日本の資産をハザールマフィアに流すシステムの構築に乗り出す。その中心となったのが「郵政民営化」である。

小泉が国民の是非を問うた2005年の総選挙で、自民党は歴史的な大勝を果たす。小泉の悲願とされた郵政民営化だが、元々は「年次改革要望書」によってアメリカのハザールマフィアから命じられたものである。

年次改革要望書とは日米双方の政府が「お互いの経済発展のためにこの制度を変えてほしい」と要望を出し合うものだ。

これまでにこの要望書を通じて実現したものは、金融ビッグバン、建築基準法改正、労働者派遣法改正など多岐に及ぶが、すべてに共通するのが「自由競争」という名のカモフラージュである。「自由化」という美名の下に日本のルールを破壊して、アメリカの企業が大手を振って日本を侵略できるようにしたのだ。

現在、社会問題となっている大量の非正規雇用者なども、この「自由化」によって生み出された結果に他ならない。一方、日本からの要望は何も実現されない。まさに現代の不平等条約ともいえよう。

郵政民営化についていえば、総選挙の前年である2004年の要望書にすでに、「2007年に開始予定の日本郵政公社の民営化」と、開始年度までが記されていたのだ。

この「郵政選挙」ではマスコミによる世論操作も行われた。民営化への反対意見などを押し潰す一方、「小泉劇場」などと馬鹿騒ぎを演出して、国民が問題の本質、民営化に秘められた陰謀に気づく機会を奪っていたのだ。

ハザールマフィアの狙いは、もちろん日本国内の郵便事業ではない。日本人の個人資産である郵便貯金と簡易保険である。総額350兆円、金融機関としては当時世界最大の規模だ。この莫大な資産を、利回りの良さを名目に海外市場へ流出させ、懐に入れようとしたのだ。

事実、郵便貯金と簡易保険の運用は、先に長銀を買い叩いたゴールドマン・サックスに委託されてしまう。現在、郵便貯金と簡易保険の半分以上が、アメリカを中心とした海外投資という形で流出しているとされる。

小泉政権の中でも、ハザールマフィアの先兵となって日本の資金流出に尽力したのが、竹中平蔵である。後に日本郵政初代社長となる三井住友銀行頭取の西川善文と、ゴールドマン・サックスをつないだのも竹中である。ハザールマフィア系ハゲタカファンドを組み込み、郵政民営化の裏組織図を描いたのが、竹中なのだ。その後、竹中は、ダボス会議のボードメンバーとしてハザールマフィアとの関係を保ちながら、日本の資産を手渡し続けたのである。

その他、副社長に就いた元ゴールドマン・サックス証券副会長の佐護勝紀、執行役員の肩書きで迎えられたゴールドマン・サックス出身の宇根尚秀などが、ゆうちょ銀行に実動部隊として送り込まれる。

ゆうちょ銀行はハザールマフィア系金融機関の子会社と化したのである。

そして2018年3月、さらに日本人の貯蓄を吸い上げるべく、ゆうちょ銀行の通常貯金限度額を撤廃するという動きが表面化した。

日本郵政の長門正貢社長は28日の記者会見で、ゆうちょ銀行の通常貯金の限度額を撤廃してほしいと郵政民営化委員会に伝えたと述べた。現在のゆうちょ銀の預入限度額は1300万円。

（略）撤廃を要望する理由として、利便性の向上や、限度額を超えた場合に顧客に通知する事務コストがかさんでいる現状を挙げた。（略）貯金が集まりすぎて資金運用に支障が出ないよう、「顧客が投資に向かっていくような営業を（ゆうちょ銀の）池田社長が推進している」と述べた。
（「ロイター」　2018年3月28日付）

郵政民営化で、ジャパンマネー吸い上げシステムの土台を築いたハザールマフィアは、日本人の資産収奪を加速させる。その旗印が安倍政権の進める「アベノミクス」だ。そして、その中心的な政策が日本銀行主導による「金融緩和」である。

アベノミクスで「日本の景気もよくなる」と、一時期、安倍を救世主のように持て囃す人間もいた。

だが周りを見渡してみてほしい。アベノミクスが始まった2013年から現在までに、日本人の暮らしは楽になっただろうか。失業者に仕事が見つかり、非正規雇用だった人に正規雇用の道が開けただろうか。据え置きにされたり、下がり続けたりしていた収入が上向きになっただろうか。将来の見通しが明るくなり子供を生み育てたいという気になっただろうか。

何も変わっていない。いや、むしろ実体経済は悪化し続けている。

例えば、収入から税金などを差し引いた可処分所得は、前年比で2014年は3・7％、

２０１５年は０・２％減少した。一般市民が自由に使えるお金は年々、減り続け、生活はどんどん苦しくなっている。政府が得意げに発表する景気回復は国民の暮らしにまったく反映されていないのだ。

実際、２０１９年2月、日本経済新聞の世論調査によれば78％の人が「景気回復を実感していない」と答えている。結局、アベノミクスで儲かっているのは、一部の特権的富裕層にすぎない。さらにマネーカーストが広がりつつあるのだ。

当然である。日本社会の経済格差の是正を掲げたアベノミクスだが、その本当の目的は、まったく逆である。真の目的とは、貧困層（日本人）からカネを奪い、それを富裕層（ハザールマフィアとその配下の者）に渡すこと、つまり「経済格差を広げること」に他ならないからである。

アベノミクスで拡大する「日本の資産収奪」と「最貧困層」

繰り返すが、「アベノミクス」とは、日本の資産を吸い上げてハザールマフィアに貢ぐための金融政策である。

そして、その吸い上げシステムの中心に位置するのが「日本銀行」である。

日本銀行とは何か。まず、第4章で詳述したFRBシステムの成り立ちについて思い出していただきたい。ドルを刷れば刷るほど、ハザールマフィアの利益となり、アメリカ国民が貧窮していくシステムである。FRBと同じく日銀もまた政府銀行ではなく「民間銀行」である。株の55%を政府が所有しているので、建前上は半官半民銀行といったところだが、問題は残り45%の株の持ち主である。実質的に、この45%の持ち主が日銀、ひいては日本経済を支配しているのである。

日銀株の大量保有者は非公開になっている。しかし、そこが日本経済のネックであると確信を抱いた私は、長年、日銀株の大量保有者について独自調査を続けた。そして、元日銀幹部や複数の筋から得た情報によると、果たせるかな、日銀株の大量保有者のリストには、ロックフェラー一族とロスチャイルド一族の名が並んでいた。なんのことはない、日銀とはハザールマフィアが日本に作ったFRBの縮小版なのである。

日銀のマークをご存知だろうか。2匹のライオンが「目玉」を抱えているマークである。この「目玉」こそが、ハザールマフィアとも関係が深い「イルミナティ」のシンボルマーク「プロビデンスの目」に他ならない。

このプロビデンスの目はドル紙幣にももちろん印刷されている。日銀がFRBと同じく、ハザールマフィアの支配下にあるという証拠なのだ。

そしてドルと同じく、やはり円もまた、日本国債と引き換えに作り出される「借金札」にすぎない。そして、その借金を背負うのは、もちろん他ならぬ日本人である。

それでは次に、アベノミクスが日本の資産をハザールマフィアへと手渡す仕組みを説明しよう。これもまた、ＦＲＢの市場操作とまったく同じ方法である。

①日銀が国債（国の借金）と引き換えに大量の「円」を作り出し、金融緩和を行う。
②日銀が株式、国債、投資信託、不動産投資信託などを購入し続けて、金融市場に円を大量に流し込み続ける。
③日銀のいわゆる買い支えにより、意図的に株高が作り出される。
④ハザールマフィアの息がかかった、インサイダー情報を持つ一部の既得権益者と、スーパーコンピューターで超高速取引を行う金融機関が金融市場で莫大な利益を上げる。
⑤国債残高を喧伝して日本人を萎縮させ、各種税制の税率アップにより、国民に国の借金を払わせる。

この仕組みを踏まえた上で、アベノミクスがどのように日本の資産を吸い上げていったかを見ていきたい。

2013年以降、日銀はアベノミクスに基づき、黒田東彦総裁が「異次元の金融緩和」を実施、国債保有率を急速に増やしていった。それまでの保有残高は130兆円ほどで、保有比率も10%を超える程度であった。しかし、2017年9月に、ついに保有比率40%を突破、2019年12月の時点で保有残高はついに500兆円を突破した。

日銀が国債の「爆買い」を続けた結果、財政赤字（国の借金）ではアベノミクスが始まった2013年の3月末に991兆円だったものが、2019年3月末には1122兆円にまで膨らんでしまう。

一方で大企業の内部留保（利益剰余金）は2013年3月末の324兆円から2018年3月末には463兆円に増加。大企業は政府が借金をして行なったさまざまな支出（企業にとっての需要）と企業減税でひと儲けしたのだ。

現在、日本の名だたる大企業の30%は、その株式を外国人が握っているが、その大半がハザールマフィア傘下のハゲタカファンドや金融企業である。

結局、アベノミクスが生み出したカネは、大企業が貯め込むだけで賃金上昇や雇用拡大につながっておらず、まったく国民の元まで届いていないのだ。

株式市場では日銀の買い支えによって株価が連騰し、「株バブル」が発生したが、こちらも国民には何の恩恵もない。一部の既得権益者と金融機関が大儲けしただけだ。

それどころか、株式市場を買い支えた結果、2019年3月、日銀の株保有額は28兆円を突破。無尽蔵に円を刷り続けることはできない以上、いつかは必ず金融緩和政策を縮小する必要がある。いわゆる「出口戦略」の際に株を売却せねばならない。しかし、日銀が「出口戦略」を匂わせるだけで株価が急落してしまうので、日銀は株を大量に買い続けることになる。借金に借金を重ねて円を作り出し、「株バブル」を支えねばならないのだ。

このバブルで荒稼ぎしているのが、日本株売買の70%を占める外国人投資家だ。こちらも当然、ハザールマフィア関係者である。

さらに、日銀による金融緩和で市場金利が大きく下がった結果、日本の資産が利回りのいい海外に流出した。2017年、日本の海外資産はついに総額1000兆円を突破する。アベノミクスが始まった2013年から5年で約50%増え、GDPの2倍にまで拡大する。その投資先の半数がアメリカの国債や金融商品である。つまりはハザールマフィアの財布の中に流れ込んでいるのだ。

このようにして日本人は、大切な資産をハザールマフィアに吸い上げられていった。一方で、「株高だ」「景気回復だ」とマスコミによってだまされながら、年々増え続ける借金を肩代わりさせられている。

その結果、生み出されたのが、「アンダークラス」と呼ばれる900万人以上の非正規労働者だ。平均年収は約186万円で、貧困率は39％と高く、女性の貧困率については、ほぼ5割に達している。男性の66％が未婚、女性の44％が離死別を経験、4人に1人が健康状態が悪いと自覚している。ハザールマフィアの命令の下で実施されたアベノミクスによって、このような最下層が急速に拡大し、増加している。アベノミクスが今後も続けば、日本はマネーカーストにおける最貧国の一つになりかねない状況にあるのだ。

日本人を「家畜」として「依存性食品」で管理

ハザールマフィアは日本人の資産だけにとどまらず、「生殺与奪」の権利も握っている。その実態を知るために、まずハザールマフィアの「人間像」に目を向けてみよう。

例えば、雑誌などで階級社会を紹介する記事のイラストを見ると、特権階級の人間は、カネにものを言わせて奔放なセックスや薬物に溺れる「快楽主義者」として描かれている場合が多い。酒池肉林というわけである。

アベノミクスによって
大企業は儲かり、国民は貧乏になる

2020年1月、施政方針演説を行う安倍首相。アベノミクスの金融緩和により、株価の買い支えや円安誘導が行われた。結果、輸出関連の大企業は増益となったが、物価上昇に反して名目賃金が横ばいのままの国民は実質的に収入減となった。アベノミクスとは、大企業は懐が潤い、大多数の国民は貧乏になる不平等な政策なのだ。

（出所）首相官邸のTwitterより

しかし、このイメージは完全に間違っている。マネーカーストにおける特権的富裕層が、その実態を隠すために意図的に流したイメージである。

ハザールマフィアの人間は、エコであり、ロハスであり、ナチュラル志向である。食生活はオーガニックでベジタリアン。水道水も飲まない。酒を飲み過ぎたりもしないし、煙草も吸わない。定期的な運動できちんと体を鍛えている。そして受ける医療はホメオパシーをはじめとする自然療法である。

健康的で健全なライフスタイルを送る人間たちなのである。

それでは、彼らがそのようなライフスタイルを世界に広めるかといったら、さにあらず。彼らのライフスタイルが被支配階級に広まらないように管理しているのだ。彼らが被支配階級に与えるのは、不健康で不健全な、何から何までまったく逆のものだ。なぜなら、「家畜」を飼い慣らすには「家畜」に合ったライフスタイルを用いる方が効果的だからである。

ハザールマフィアの「家畜」に対する基本方針は、「増やさず」「絶滅させせず」「力をつけさせせず」である。搾取し続けるのに最適なように、種を管理するのだ。

その管理方法の基本は「餌」である。

家畜に与えられる餌とは、スーパーマーケットやファストフード店に並ぶ「市販の加工食品」だ。それらの食品には、家畜に「依存」をもたらすよう計算された加工が施されている。

2015年にアメリカのミシガン大学が発表した研究結果によると、依存性の高い加工食品トップ10は以下のとおり。

1位＝ピザ、2位＝チョコレート、3位＝ポテトチップス、4位＝クッキー、5位＝アイスクリーム、6位＝フレンチフライ、7位＝チーズバーガー、8位＝ソーダ、9位＝ケーキ、10位＝チーズ

欧米企業の大型ファストフード店が大量に売りさばく商品ばかりである。

多量の農薬を散布して大量生産した小麦やジャガイモに、有害な化学溶剤漬けの油、石油原料の化学調味料、さらに防腐剤、合成着色料、軟化剤、防臭剤、人工香料、人工甘味料などを混ぜ合わせたシロモノである。

これらの化学化合物つまり毒物は、当然、人体にさまざまな障害を引き起こす。その中でも、例年、日本人の死因第1位である「がん」の発生を高める「発がん性物質」を中心に見てみよう。

「硝酸ナトリウム」　ソーセージ、ハム、ベーコン、冷凍ピザ、チルドハンバーグ、調理パン、菓子パンなどの多くに発酵剤として使用されている。摂取し続けるとがんを発症する危険性が

高い。アメリカではすでに禁止の動きが進んでいる。

「亜硫酸ナトリウム」　硝酸ナトリウム同様、ソーセージなど加工食品に多く用いられる。他にはワインの酸化防止剤に使用されることで有名。廉価の輸入ワインに使用されている。ビタミンB1欠乏の原因となり、肝硬変、肝臓ガンのリスクを高めるとされる。

「ソルビン酸」「ソルビン酸K（カリウム）」　ソーセージ、ハム、ベーコン、魚介類加工品、調理パン、菓子パンなどに多く使用される保存剤。前記の亜硫酸と反応して発がんする可能性が高い。許可基準が低く、日本人は大量に摂取している。

「タール系色素」　合成着色料として多くの食品の他、化粧品、石けん、ボディソープ、シャンプー、消臭剤などにも使われている。発がん性の疑いから、食用青色1号・2号、食用黄色5号、食用緑3号、食用赤色2号・3号・104号・105号・106号などは、すでに世界各国で使用禁止となっている。しかし、日本では依然として使われ続けている。

「BHA（ブチルヒドロキシアニソール）」　輸入食品の油脂やバター、魚介類の加工品に多く使われている酸化防止剤。1980年代から発がん性の疑いが持たれていたが、油脂やバター、加工品の輸入先である欧米からの圧力により、規制が潰されたという経緯がある。


厚生労働省に圧力をかけて数々の食品や日用品の中に「発がん性物質」を投入した政治家の

一人に、中曽根康弘がいる。１９８５年の「プラザ合意」を受け入れた日本の総理大臣その人である。日本の金融システム破壊と、日本人の「生命」破壊は、ワンセットで押し進められてきたのである。

ちなみに、中曽根は当然ながらがんで早死にしたりはしない。２０１９年11月、１０１歳という長寿で大往生を迎える。

日本人の死因第１位は「がん」ではなく「がん治療」

「がん」はハザールマフィアによって家畜の体内に広められた「病気」である。

不思議だと思ったことはないだろうか。これだけがんの恐ろしさが喧伝され、厚生労働省も「がん対策」を打ち出して新たな治療方法や治療薬の開発を推し進めている。その一方で同じ厚生労働省が、発がん性が疑われる化学化合物は野放しにしている。

もうお分かりであろう。明らかなマッチポンプ商法である。右手でがんを作り出して、左手で「がん治療」と称してカネをむしり取っているのである。そして、そのカネの流れる先は、ハザールマフィア傘下の、抗がん剤で大儲けする欧米製薬会社であり、悪質な「がん保険」を売り付ける欧米保険会社である。

そもそも「抗がん剤や摘出手術で延命できる」という科学的な根拠は存在しない。逆に、抗がん剤の副作用によって臓器などがボロボロになることは臨床で証明されている。それにもかかわらず、医者は、当たり前のように抗がん剤を投与し続ける。

また、がん患者を「脅迫」する常套句として「余命○カ月」という言葉が使われるが、この余命というデータがまったくの眉唾モノなのである。余命は、医療機関が過去の患者のデータを基にして算出しているとされるが、その中には当然、「がん治療を受けなかった」患者のデータは含まれていない。つまり、治療を受けて亡くなった患者のデータしかないのだ。この余命は、正確に言えば「うちでがん治療を受けると、○カ月で死にますよ」という意味に他ならない。まさに医療ブラックジョークである。

医療機関で抗がん剤投与や摘出手術などのがん治療を受けない方が、人によっては死なずに済む可能性が高いのである。

抗がん剤とは何かご存知だろうか。それは、「免疫抑制剤」である。つまるところ、生物としての機能を細胞レベルで「殺す」薬である。がん細胞の増殖を防ぐという名目で、人間を仮死状態にする「毒薬」に他ならない。そして、がん患者の死因の多くはがんではない。感染症などの合併症で死ぬ患者がほとんどなのである。「免疫抑制剤」や「がん細胞摘出手術」によって病気が作り出されて「殺されて」いるのだ。

日本人の死因第1位は、正確には「がん」ではなく「がん治療」なのである。

では、がんにおける本当の余命とは、いつなのか。それは患者の懐に、がん治療に当てられるカネがなくなったときである。データとして意味のない「余命」を宣告して恐怖で患者を縛り、手術と投薬で医療機関に拘束して、患者の財産がなくなると致死量の「毒薬」を投与して殺すのである。日本ではがん患者を一人見つけると、1000万円の儲けになるといわれている。

そして、抗がん剤という高額の「毒薬」製造元こそが、ロックフェラー一族を中心にした「メガファーマ」である。ロックフェラー一族の医療・製薬業界に対する投資はかなり早い時期から行われている。

ロックフェラー研究所（後のロックフェラー大学）を設立した後、医学校や医療機関を支援の名目で買収して、その傘下に収めていった。その商売の主軸の一つが、年間成長率5～8%、市場規模800億ドルにまで達した「抗がん剤」治療であった。欧米メガファーマのお得意先が、日本の医療界であるのは説明するまでもない。

平均寿命と健康寿命という数値がある。生命が尽きるまでの寿命と、人が健康に生きられる寿命だ。長寿大国といわれる日本だが、決して健康寿命は長くない。データによると、日本人の平均寿命と健康寿命には、男性で約9歳、女性で約12歳と他国に比べてかなり大きな開きがある。つまり、医療機関に管理されて医療費を吸い上げられる期間が異常に長いのだ。

もうお分かりだろう。日本人の寿命末期の数年間は、医療機関による「吸い上げ期間」として存在しているのである。

食品や日用品に「毒物」を仕込まれて、細胞レベルから生命を管理され、人生最後の数年間で「医療」の名の下に財産をすべて吸い上げられる……。まさに、ゆりかごから墓場まで搾取される「家畜」、これが日本人の現状である。日本は「人間牧場」とでも呼びたくなるような非人道的な管理社会なのだ。

日銀国有化で「借金帳消し」「国民は無税」

先にも述べたが、現在、日本を長きにわたって支配していた裏の権力が空白となっている。つまり、日本人が「人間牧場」から脱する千載一遇のチャンスなのである。しかし、日本人は檻から外への一歩を踏み出さない。それは、長らくハザールマフィアと、その傀儡であった日本政府や大手マスコミに「洗脳」されてきたからであろう。

このまま日本人が、世界の流れにも、自分たちを支配するシステムにも目を向けずにいればどうなるのか。生活水準は下がり続け、少子化は加速し、社会保障は破綻して、日本人はジワジワと「絶滅」に向かっていく。

日本人絶滅のカウントダウンはすでに開始されているのだ。

どうしたら、その最悪のシナリオを回避できるのか。経済ジャーナリストである私は、やはり金融的な側面から提案をしたいと思う。

今、日本の現状を打破するのに必要な政策こそが「ジュビリー」である。日本人の耳には聞き慣れない言葉かもしれない。ジュビリーとは旧約聖書のレビ記に登場する、50年に一度の祝賀を指す言葉である。そして、その際に、すべての奴隷を解放して借金を免除するという習わしがあったのだ。世の中の不均衡を是正するために「資産の再分配」と「負債の帳消し」が行われたのである。

このジュビリーを現代でも行うのである。

住宅ローンをはじめとする、すべての借金を一度、帳消しにするのだ。

日本の歴史でいえば、江戸時代まで存在した「徳政令」である。日本の為政者も何度かこの方法で窮した人民を救ってきた。ちなみに、明治維新以降、関東大震災や昭和恐慌といった国難に際しても行われなかったのは、「銀行」という金貸しがすでに政財界を牛耳っていたからである。

債務免除と同時に行うのが「居住地解放」である。現在住んでいる家屋と土地が、住宅ローンが残っていようと、賃貸であろうと、すべて自分の所有物となるのである。これも日本人は歴史上、類似した経験をしている。第二次世界大戦後にGHQの指揮下でなされた「農地改革」である。農地を政府が強制的に買い上げて小作人に売り渡した政策である。

そして最後が、日銀の国有化と政府紙幣の発行である。中央銀行の国有化もまた、日本は経験済みである。第二次世界大戦中に一度、日銀を国有化している。

日銀を国有化すれば政府紙幣の発行が可能になる。政府は自分でお金を発行するので、借金をする必要がない。国民から税金を取る必要もなくなる。

発行された政府紙幣を何に使うか。

例えば、先述した居住地解放によって家賃収入が途絶える大家には政府紙幣でその金額を補償する。

不当な方法で上場企業を支配しているハゲタカファンドから株を取り上げて、日本市場を正常化する。

これまで国民からかき集めた税金で支えていた社会保障や公共事業、国債、教育費なども政府紙幣で賄う。

これらの「金融改革」をリードしていくのは、かつて日本の中央省庁に存在した経済企画庁のような組織である。できる限り国民の混乱を防ぎ、インフレーションを起こさないように貨幣量を管理するのである。もちろんそこには健全な官僚組織が必要とされる。そして、それをサポートするために実業界、経済界をはじめとする各界からの有能なブレーンを置く。

混乱に対して、効果は絶大である。ハザールマフィアの搾取から解放されることにより、市場は本当の力を取り戻す。その経済価値は、国民一人あたり１０００万円相当になると予想される。国民が実感する生活水準は、数年以内に大幅に向上するであろう。

今、日本人を浸食している新たなマネーカーストに対抗するには、このような抜本的な政策が必要とされるのである。

年々広がるマネーカーストに埋もれていき、手をこまねいてジワジワと破滅していくのも、檻から出て自らの足で歩み出すのも、すべては我々日本人の「未来への意思」次第である。

おわりに

長らく培われた資本原理主義の経済体系によって、一部の超富裕層だけが富を手に入れ、権力をほしいままにしてきた。

金融、石油、食、医療、ＩＴをはじめとして、社会システムからインフラ、そして生命としての生存自体が特権階級「ハザールマフィア」に牛耳られて久しい。

そして、史上まれに見る経済格差階級「マネーカースト」が生み出された。

富める者はより富み、貧しき者はより貧しく、生まれたときから生涯の可能性が決められている不平等社会である。

しかし現在は、格差拡大や階級固定の流れを断ち切るチャンスの時でもある。

日本や欧米に浸透する資本原理主義は今や目に見えて限界を迎えている。その激動の様相は、本書に記してきたとおりである。巨大な力を持ち、世界を思うがままに支配してきたハザールマフィアの力にかげりが生じているのである。

ハザールマフィアが仕組んだ金融ペテン「ドルシステム」は、アメリカ経済とともに破綻の危機に瀕している。そして、アメリカは動きだした。ハザールマフィアを駆逐して、政府を、経済を、軍を、マスコミを、そして生活を、自分たちの手に取り戻そうとしている。

それもまた歴史の摂理なのだろう。かつて隆盛を誇った古代ローマ帝国や漢王朝なども、結局は「格差」によって崩壊したという。おごれる者は久しからず、である。

今、アメリカに代わり、世界経済の流れをリードしているのは中国である。

中国は「一帯一路」と「ＡＩＩＢ」により、人類史上最大ともなり得るプロジェクトを加速させている。そして国際会議で「人類運命共同体の共同構築」という理念を打ち立てて、新たな時代の覇者となることをアピールしている。

中国への世界経済覇権の移行という流れに対して、アメリカは焦りを隠せない。

２０１８年４月、トランプ政権は中国に総額１５００億ドルに及ぶ追加関税を打ちだし、「米中貿易戦争」の宣戦布告をしている。

しかし、この貿易戦争にアメリカの勝ち目はない。国民生活の隅々まで中国製品に依存しているアメリカは、根底から消耗していくであろう。それに対して中国は、アメリカからの輸入が途絶えたとしても、その代わりとして、ロシアやブラジルなどとの交易を増やせば済む。貿易戦争の勝敗はすでに決しているのだ。

アメリカはすでに40年以上も巨額の貿易赤字を計上し続けてきた。そして、輸入品を受け取りながら、代金はいつも借金札（米国債）を渡すだけという「あこぎな商売」をしている。国際貿易の代金をツケで払ってきたわけだ。そのツケは精算されずに溜まっていく一方である。

すでに中国のみならず世界の国々が、貿易相手としてアメリカを絶対視していない。それどころか「害」として距離を置こうとしているのだ。

トランプ政権が世界各国に対して本格的に貿易戦争を仕掛ければ、アメリカは世界から孤立する道を歩むことになるだろう。その先に待っているのは、深刻な経済停滞、そしてアメリカ政府の破産である。

世界の覇権はアメリカから中国へ移りつつある。しかし、私は世界を支配するのが、ハザールマフィアから中国に入れ替わることを望んでいるわけではない。日本などG7は経済運営をはじめとした旧来のシステムを改革し、かつての活気を取り戻してほしいと思っているのだ。しかし、残念ながらどの国も、中国に対抗できるだけの新時代のビジョンを提示できていない。G7諸国が生き残っていくには、中国に対抗できる独自のプロジェクトを立ち上げる必要があるだろう。

貧困や格差の拡大、地球規模の環境破壊、紛争など、世界の危機的状況を受け止め、その上で全世界がプラスになる未来のビジョンを持ったプロジェクトである。そしてそれを中国のプロジェクトと融合させていくのだ。そのような独自のビジョンが打ち出せなければ、亡国の道をたどるのみとなろう。

現在、アメリカ破産後の新たな世界を構築するために、ペンタゴン、CIA、ロシア当局、アジアの結社などが極秘で話し合いを続けているという。

その裏ではいまだ、ハザールマフィアの残党が、第三次世界大戦、全世界の金融システムのシャットダウンなど、世界を破滅させて再び権力を掌中に取り戻すための計画を推し進めている。ハザールマフィアとの戦いも完全に勝敗が決まったわけではない。予断を許さない状況である。

世界情勢、世界経済はカオスと化している。

そしてその激動の中で、日本はまだ眠り続けている。

このままでは、日本は確実に世界のマネーカーストの底辺へと転げ落ちていく。そして多くの日本人は、その最底辺で貧困にあえぎながら滅亡していくであろう。

私は一人の日本人として、日本の、そして日本人の未来を案じている。

日本が、日本人が生き延びるためには、正確に世界の流れを見つめ、新しい時代に即した価値観を構築することが必要となる。

日本人がハザールマフィアの洗脳を脱して、自分たちの未来を自分たちで決めて、自分たちの手でつかみ取ることを心から願っている。

本書がその一助になれば幸いである。

ベンジャミン・フルフォード

マネーカースト

世界経済がもたらす「新・貧富の階級社会」

最新版

2020年3月10日　第1刷発行

装丁　朝日修一
発行人　岩尾悟志
編集人　末永考弘
編集協力　オフィスキング

本書は2018年4月に小社より刊行された『マネーカースト　世界経済がもたらす「新・貧富の階級社会」』に加筆し、新書化した新装版です。

発行所　株式会社かや書房
〒162-0805
東京都新宿区矢来町113　神楽坂升本ビル3F
電話 03(5225)3732(営業部)
FAX 03(5225)3748

印刷所　中央精版印刷株式会社

著者 ベンジャミン・フルフォード

ISBN978-4-906124-92-3　C0236